KU-427-146

COURS DE FRANÇAIS
by E. Saxelby, M.A.

II
EN MARCHE

COURS DE FRANÇAIS II

EN MARCHE

BY

E. SAXELBY, M.A.

BOLTON SCHOOL

Illustrated by
Blam

GINN AND COMPANY LTD.
QUEEN SQUARE, LONDON, W.C.1

GINN AND COMPANY LTD., LONDON

First published 1937
Tenth impression 1950

255005

PRINTED IN GREAT BRITAIN
BY R. & R. CLARK, LIMITED, EDINBURGH

PREFACE

THIS " Cours de Français," in four parts, will be found to meet all the needs of pupils who are preparing for the School Certificate Examination in French. But above and beyond this my aim has been so to awaken their interest in the speech, the literature, the life and the future of France that they will want to continue their study after they leave school. This I have always held to be the true justification for the inclusion of French or of any modern foreign language in the school curriculum. More and more we are realizing that the best citizen is " no island cut off from other lands, but a continent that joins to them."

The friends of *Mon Livre* will find that the method I have used in " Cours de Français " is the same as that of the earlier series. But the new Course has been more carefully graded in difficulty, and the reading matter provided is more varied and more extensive. I am convinced that the educational value of learning a language is to be sought in a first-hand experience of it as a medium of expression rather than in an intensive study of its grammatical structure. This has led to the use of a wider vocabulary, but a glance at the books will show that this vocabulary has been selected from words frequently used in daily intercourse or met with in general reading of a simple kind, while the work in the Exercises has been designed to give abundant practice in the use of important grammatical forms. The only royal road to successful teaching is, I believe, to awaken and stimulate the interest and imaginative sympathy of the pupil, and this is what the present series hopes to do.

En Route (*Book One*) introduces the beginner in a modest way to French life in the country. *En Marche* (*Book Two*) continues in Paris. If it seems daring to introduce pupils to Molière in their second year of French, my answer is that the text has been simplified so as to offer neither difficulties of style nor idioms peculiar to the seventeenth century, and that it has always seemed to me a pity to deprive our pupils, at the age when they are most capable of appreciating it, of the pleasure they derive from the rollicking fun of a play like " Le médecin malgré lui."

It is a pleasure to acknowledge once again my indebtedness to Mr. B. Harrison, my friend and colleague on the staff of the Bolton School, who has given me generously the benefit of his experience in criticism and suggestion, and to my friend Miss Marsh, of Upholland Grammar School, who also read the proof and made many helpful suggestions.

E. S.

A NOTE ON TENSES

In " En Route " the Présent *is used ; the* Futur *and* Passé Composé *being introduced only at the end of the book. In " En Marche " I have concentrated on these three tenses, believing that it is better to postpone till the third year the introduction of the* Passé Historique. *The* Passé Composé *with its attendant difficulties of Past Participle agreement demands a year's work if it is to be mastered completely, and I have found it better to avoid confusion by leaving the* Passé Historique *to be taken up at a later stage in connection with work of a more serious, narrative type. The* Imparfait *I have introduced only towards the end of " En Marche," and in conjunction with the* Passe Composé.

E. S.

TABLE DES MATIÈRES

I. LE RETOUR

Peuf ! Peuf ! Peuf !

Le train ralentit — s'arrête.

Déjà Bobette, qui se tient debout dans le couloir, passe la tête à la portière.

" Pourquoi le train s'arrête-t-il, Papa ? " s'écrie-t-elle. " Nous ne sommes pas encore à Paris ? "

" A Paris ? Mais non, pas encore, Bobette," répond son père. Il quitte sa place et va parler à sa fille.

" C'est bien la Seine que nous longeons, Papa ?"

" Mais oui, ma fille," dit Monsieur Lépine.

" Bobette, ma fille, ne te penche pas au dehors," dit Madame Lépine. " Tu vas attraper un grain de poussière dans l'œil et ça fait mal, tu sais."

" Bien, Maman," et Bobette retire la tête, juste à temps, car la locomotive se met à lancer un nuage de fumée noire.

" Assieds-toi, Bobette," dit son père. Il regarde sa montre. " Nous allons avoir au moins vingt minutes de retard. Mais ce n'est pas beaucoup, après tout."

Au bout de vingt-cinq minutes le train entre dans la gare et s'arrête. " Enfin ! "

" Quelle foule! Le train doit être bondé," dit Madame Lépine, qui reste assise dans son coin du compartiment à tricoter, près de Toto. Toto est sage. Oh, comme il est sage ! Il est profondément endormi.

" Lève-toi, Paul," dit son père. " Nous arrivons." Paul se lève vite, ferme son livre et descend les bagages — son appareil, sa canne à pêche, le sac de voyage de sa mère, les deux grosses valises. Bobette saisit le précieux panier, plein de fraises des bois qu'elle rapporte.

" Et le grand pot de miel, Maman, où est-il ? " demande Paul. " Je ne le vois pas. Ah, le voilà ! Il est tout penché de côté, regarde ! "

Bobette pousse un cri. Oui, le pot de miel est penché de côté ; il a versé et le bon miel jaune descend en cascade juste au-dessus de la tête de Toto endormi. Pauvre Toto ! Il a les cheveux tout pleins de miel !

“ Mon pauvre Toto ! ” s’écrie Bobette. Mais Toto se réveille, ouvre de grands yeux et sourit. Le miel est bon, n’est-ce pas ? Toto adore le miel. Vite il lève ses deux petites mains pour les plonger dans ses cheveux !

“ Oh, mon Toto,” dit Bobette, “ ta petite tête est comme une ruche, pleine de miel. Comme tu sens bon ! Les abeilles viendront te faire visite.”

“ En effet, Toto,” dit Paul. “ Tes cheveux sentent bon, juste comme les cheveux de Papa. Quelle excellente brillantine, Toto, n’est-ce pas ? ”

“ Boum ! Boum !” fait Toto. Il est content ; il rit.

Monsieur Lépine est dans le couloir.

“ Porteur ! Porteur ! ” s’écrie Monsieur Lépine. Un grand porteur s’avance. Il porte une blouse bleue, un large ceinturon et, au bras gauche, un brassard avec un numéro.

“ Monsieur ? ”

“ Ces deux valises,” dit Monsieur Lépine. “ Nous avons aussi une grosse malle qui est aux bagages. Voulez-vous appeler un taxi ? ”

" Bien, Monsieur," dit le porteur. Il attache sa solide courroie autour des deux valises, les hisse sur son épaule et s'en va à travers la foule de voyageurs. " Attention, s'il vous plaît ! "

Madame Lépine et les trois enfants le suivent aussi vite que possible, pendant que Monsieur Lépine se dirige vers l'arrivée des bagages.

Pendant que Madame Lépine et les enfants s'installent dans le taxi, le porteur va retrouver Monsieur Lépine. Il pose la grosse malle de la famille sur son petit chariot et revient auprès du taxi, suivi de Monsieur Lépine. Il hisse la malle dans la voiture, à côté du chauffeur.

" C'est ça, merci bien," dit Monsieur Lépine. " Tous les bagages sont-ils dans la voiture, Paul ? "

" Oui, Papa, tout," répond Paul. Il compte : " Les deux valises, le sac de voyage de Maman, mon appareil, ma canne à pêche, le panier de Bobette, le pot de miel — et Toto ! "

Monsieur Lépine donne un pourboire au porteur et monte dans le taxi qui part à toute vitesse.

Bobette regarde la grande foule de gens affairés qui passent dans les rues, les beaux magasins qui bordent les trottoirs.

" Je suis tout de même contente de rentrer," dit-elle.

" Et moi aussi," dit Paul.

I

Exercice I. (Exemple : — portière — compartiment. *La* portière *du* compartiment) :

1. — portière — compartiment.
2. — arrivée — train.
3. — appareil — garçon.
4. — fumée — locomotive.
5. — ruche — abeilles.
6. — malle — famille.
7. — fraise — bois.
8. — miel — enfant.
9. — courroie — porteur.
10. — numéro — voiture.
11. — trottoir — rue.
12. — chauffeur — taxi.

Exercice II. Dans les phrases suivantes, remplacez les substantifs par des pronoms personnels (Exemple : Bobette regarde la grande foule. *Elle la* regarde) : 1. Bobette regarde la grande foule. 2. Le père ne trouve pas sa montre. 3. Monsieur Lépine quitte sa place. 4. Toto regarde les voyageurs. 5. Voulez-vous appeler le taxi ? 6. Madame Lépine et les enfants suivent le porteur. 7. Le voyageur demande une voiture. 8. Bobette saisit le panier. 9. Voyez-vous les beaux magasins ? 10. Où voyez-vous la malle ? (pp. 243-5.)

Exercice III. Écrivez au pluriel (Exemple : Je m'avance rapidement. *Nous nous avançons* rapidement) :

1. Je m'avance rapidement.
2. Elle voit un bel appareil.
3. Assieds-toi, mon enfant.
4. Je me lève de ma place.

5. Elle saisit le précieux panier.
6. Je me dirige vers le taxi.
7. Où va-t-il, cet enfant ?
8. Il pose une grosse malle sur le petit chariot.
9. Elle a mal à l'œil.
10. Il vient avec un grand panier. (pp. 236, 240, 257.)

Exercice IV.

1. Écrivez en toutes lettres ; additionnez ; donnez le total : 9, 13, 31, 55, 72, 96, 101, 200. (p. 270.)

2. Quelle heure est-il ? 9.45 ; 12.5 ; 1.30 ; 7.50 ; 17.10. (p. 266.)

3. Écrivez la date : 1.iii.1932 ; 31.vii.1900 ; 15.ii. 1937. (p. 267.)

4. Calculez : 5 timbres à 1 fr. 50, 12 timbres à 90 ct. Vous achetez ces timbres dans un bureau de poste ; vous les payez avec une pièce de 20 fr. Combien d'argent l'employé vous rend-il ? (p. 268.)

Exercice V. Écrivez au négatif (Exemple : Il a trouvé une place. Il *n'*a *pas* trouvé *de* place.) :

1. Il a trouvé une place.
2. Monsieur Lépine aime voyager dans un petit panier.
3. Toto porte la grosse malle de la famille.
4. Avez-vous du miel, mon ami ?
5. Paul porte une blouse bleue.
6. Le porteur hisse Monsieur Lépine sur son petit chariot.
7. Le taxi lance un nuage de fumée.
8. Les fraises sont abominables.
9. Madame Lépine voyage dans la locomotive.
10. Asseyez-vous sur le panier de fraises ! (pp. 251-2.)

Exercice VI. 1. Écrivez au pluriel (Exemple : J'avance. *Nous avançons*) : J'avance ; je m'écrie ; je me lève ; tu fais ; tu dis ; tu mets ; il suit ; il va ; il tient ; il s'assied.

2. Écrivez complètement le présent de l'indicatif de : avoir, être, aller, devoir, dire, faire, partir, suivre, tenir, s'asseoir. (pp. 256-65.)

Exercice VII. Répondez :

1. Qui, dans la classe, arrive par le train ?
2. Que voyez-vous dans une gare ?
3. Où les porteurs mettent-ils les malles des voyageurs ?
4. De quelle couleur est la fumée ?
5. Avez-vous une montre ?
6. Quelle est l'heure à votre montre ?
7. Combien de minutes mettez-vous à venir au lycée ?
8. Quelle est la différence entre une automobile et un taxi ?
9. Avez-vous un appareil ?
10. Qu'est-ce qu'une canne à pêche ?

Exercice VIII. Complétez les définitions suivantes : 1. Un voyageur est . . . 2. Un pourboire est . . . 3. Un porteur est . . . 4. Un taxi est . . . 5. Une fraise est . . .

Exercice IX.

Écrivez, sous forme de dialogue, une scène dans une gare, ou dans un train. (p. 281.)

Exercice X. 1. Apprenez par cœur le vocabulaire suivant :

le train	la gare
le couloir	la portière
le compartiment	la fenêtre
le coin	la place
le voyageur	la valise
le porteur	la malle
les bagages (à la main)	se pencher au dehors
la locomotive	appeler un taxi

2. Apprenez par cœur la série suivante :

Le train s'arrête.
Je descends mes bagages.
J'ouvre la portière.
Je descends sur le quai.
J'appelle un porteur.
Je lui donne mes bagages.
Je me dirige vers la sortie.
Je donne mon billet à la sortie.
Je sors de la gare.
Je monte dans un taxi.
Je donne un pourboire au porteur.
Je donne mon adresse au chauffeur.
Je rentre à la maison.

II. LA RENTRÉE

Voici le premier octobre. Il est sept heures vingt du matin. Tous les membres de la famille sont réunis autour de la table. De sa haute chaise, Toto les regarde et sourit. Il est très sage aujourd'hui. Car il mange une tartine de beurre, couverte de miel. Et comme il l'aime, ce miel ! Il a les doigts pleins du bon miel.

Paul et Bobette mangent vite. Car c'est aujourd'hui la rentrée des classes. Les vacances sont finies ; l'automne va commencer avec le travail. Bobette pense à ses amies du lycée, aux professeurs qu'elle aime et qu'elle va retrouver aujourd'hui. Elle a rassemblé tous ses cahiers et ses livres ; elle les compte. Elle a son nouveau sac à ouvrage qu'elle a brodé pendant les vacances, à St. Benoît. Oui, elle est toute prête.

" Que ce miel est bon ! " dit-elle. " Tu l'aimes aussi, n'est-ce pas, Maman ? " Elle passe le miel à sa mère. " Tu sais, Maman," continue-t-elle, " que nous allons avoir cette année une assistante anglaise ?"

" C'est vrai ? " demande Monsieur Lépine. " Très intéressant pour toi, Bobette ; c'est une excellente idée." " N'est-ce pas, Papa ? Nous allons avoir une demi-heure de conversation anglaise deux fois par semaine."

" Tu as de la chance, tu sais," dit Paul, en prenant une grande cuillerée de miel. " Tu vas prendre un joli accent anglais."

" Tu vas inviter cette dame à prendre le thé chez nous un jour, Maman ? " dit M. Lépine.

" Très volontiers, mon ami," répond Mme Lépine. " C'est en effet une bonne idée, car les Anglaises aiment beaucoup boire du thé fort, et il est assez rare de trouver du thé vraiment bon en France."

" Si seulement elle est gentille ! " soupire Bobette. " Beaucoup de ces Anglaises sont très sévères ! "

" Qui t'a dit ça ? " demande Monsieur Lépine, amusé.

" C'est Solange, Papa. Et elle sait, car elle a passé les grandes vacances en Angleterre, l'an dernier."

A ce moment Paul se lève. " Bobette, dépêche-toi ! Il est tard, tu sais. Au revoir, tout le monde, jusqu'à midi."

" Au revoir, Paul." " Au revoir, mon fils, et bon courage pour l'année qui commence," ajoute son père.

" Merci, Papa, au revoir." Vite, Paul saisit son cartable qu'il a préparé la veille avant de se coucher, prend sa casquette sur la table du vestibule et sort de l'appartement.

Il descend l'escalier quatre à quatre, car il est déjà huit heures moins vingt et il a juste le temps d'arriver au lycée avant l'heure de la classe. Les vacances sont finies, oui, mais il est tout de même content de rentrer au lycée et surtout de retrouver son grand ami Jacques Lefèvre.

Il n'a pas vu son camarade Jacques depuis la fin du mois de juillet, car Paul est allé avec sa famille à St. Benoît, et Jacques a fait un voyage encore plus long ; il a passé tout le mois d'août bien haut dans la montagne, à Val d'Isère. Oui, certes, Paul est content de retrouver Jacques.

Dans la cour du lycée des groupes d'élèves bavardent ou discutent. Paul arrive en courant.

" Hé, bonjour, Paul; pourquoi es-tu si pressé ? " appelle une voix gaie.

" Jacques, quelle chance de te retrouver si vite ! Je suis si content de te revoir ! Tu vas me raconter ton séjour à la montagne ? "

" Ç'a été superbe, mon cher ! Mais attends la sortie. J'ai fait beaucoup de photographies que je vais te montrer."

" Tu les as ici ? "

" Oui, une trentaine."

Mais voilà la sonnerie pour la rentrée. "Au revoir, Paul," dit Jacques.

" A tout à l'heure, Jacques."

Jacques se dirige vers le laboratoire ; Paul s'en va dans la salle de mathématiques. L'année a commencé.

II

Exercice I. Écrivez *ce*, *cet*, *cette* devant chacun des substantifs suivants (Exemple : été ; *cet* été) : été, coin, appartement, octobre, année, travail, vestibule, heure, courage, laboratoire, séjour, photographie, rentrée, ami, voix, voyage, minute, fin, lycée, arrivée, cartable. (p. 240.)

Exercice II. Écrivez au passé composé (Exemple : Les vacances passent vite. Les vacances *ont passé* vite) : 1. Les vacances passent vite. 2. Je trouve ma casquette sur la table. 3. Elle prépare ses livres. 4. Il raconte des choses à son ami. 5. Les deux garçons retrouvent leurs compagnons. 6. Ils font beaucoup de photos. 7. Il regarde des groupes dans la cour du lycée. 8. Paul et sa sœur saisissent leurs cartables. 9. Toto ouvre la porte. 10. Ils disent " Bonjour " à leurs parents. (p. 254.)

Exercice III. Remplacez les substantifs par des pronoms personnels (Exemple : Paul prend son cartable. *Il le* prend) : 1. Paul prend son cartable. 2. Toto mange la tartine. 3. Les enfants mangent le miel. 4. Jacques fait des photographies. 5. Mon ami attend sa malle. 6. Bobette saisit ses livres. 7. Ton ami a-t-il ses photos ? 8. Attends la sortie. 9. La mère ne prépare pas le déjeuner. 10. N'avez-vous pas vu ma casquette ? (pp. 243-5.)

Exercice IV. Trente : *une* trent*aine*. Formez des substantifs pareils avec : huit, dix, douze, vingt, quarante, cinquante, soixante, cent.

Exercice V. Écrivez à la forme interrogative (Exemple : Mon ami est venu. *Mon ami est-il venu ?* ou *Est-ce que mon ami est venu ?*) :

1. Mon ami est venu.
2. Vous avez vu les photographies.
3. Le train de six heures est parti.
4. Il est déjà huit heures dix.
5. Elle l'a donné à Paul.
6. Il a le temps d'arriver au lycée.
7. Vous les avez vus.
8. Son frère n'y est pas encore allé.
9. Ma casquette est sur la table du vestibule.
10. Il n'y a pas de place libre ici. (pp. 255-6.)

Exercice VI. Écrivez le contraire de (Exemple : Il arrive. Il *part*) : il arrive ; droite ; montez ; il entre ; sur ; se coucher ; le commencement ; content ; la ville ; le fils.

Exercice VII. (Exemple : *Entrer*. Participe passé : *entré*. Féminin du participe passé : *entrée*. Substantif : *une entrée*) : Faites de la même manière des substantifs avec : entrer, sortir aller, rentrer, arriver.

Exercice VIII. Répondez :

1. Quelle est la date de la rentrée de votre lycée ?
2. Combien de semaines de vacances avez-vous ?
3. Qui est votre camarade ?
4. Quelle heure est-il ?

5. Avez-vous jamais fait un beau voyage ?
6. Faites-vous des photographies ?
7. Avez-vous une canne à pêche ?
8. Faites-vous des mathématiques ?
9. Avez-vous un joli accent français ?
10. Que faites-vous pendant les vacances ?
11. Nommez les mois de l'année.
12. Quel âge avez-vous ?

Exercice IX. Racontez, en cinq paragraphes, une journée de votre vie :

1. Vous vous levez — vous déjeunez avec votre famille — vous partez pour le lycée.
2. Arrivée au lycée — la matinée — les classes.
3. Le déjeuner à la maison, ou au lycée.
4. Les classes de l'après-midi — la rentrée à la maison.
5. La soirée. (p. 278.)

Exercice X. Apprenez par cœur la série suivante :

1. Je sors de l'appartement avec mon cartable sous le bras.
2. Je descends l'escalier quatre à quatre.
3. J'ai juste le temps d'arriver au lycée à l'heure.
4. J'entre au laboratoire.
5. Je me mets au travail.
6. Je sors du laboratoire.
7. J'attends la sortie pour retrouver mes amis.
8. Je discute le devoir avec mes camarades.
9. Je rentre à la maison.
10. A table, je raconte la matinée à ma famille.

III. A LA MONTAGNE

A la sortie de midi, Jacques et Paul se retrouvent.

" Et maintenant, Jacques," dit Paul, " parle-moi de ton séjour à la montagne."

" Tu n'as pas idée, Paul, comme il est beau, ce pays." " Le voyage a été long, n'est-ce pas ? " " Oui, nous sommes partis de Paris le soir à neuf heures." " Tu as fait le voyage de nuit alors ? " " Bien sûr ; d'abord il fait trop chaud le jour dans le train, et puis les meilleurs trains sont les trains de nuit en cette saison."

" Combien de temps le voyage a-t-il duré ? "

" Toute la nuit et même davantage. Le lendemain matin vers cinq heures nous sommes arrivés à une petite station où on nous a servi du café bien chaud. Ah, quel café délicieux ! "

" Je crois bien," dit Paul. " Après une nuit blanche il n'y a rien comme une tasse de café bien chaud."

“ Nuit blanche ? Point du tout ; j’ai dormi comme une souche, ou bien comme Napoléon, si tu veux. Tu te rappelles ? ”

“ Oh oui, mais on raconte tant de choses sur l’Empereur. Continue ton récit.”

“ Ce sera vite fait. Nous sommes descendus du train à onze heures du matin ; puis nous avons déjeuné dans une jolie petite ville de campagne. Nous sommes partis de là par autocar à deux heures, et au bout de trois heures, nous sommes enfin arrivés à destination.”

“ Et comment est ce pays qu’on admire tant ? ” demande Paul.

“ Impossible de te dire comme il est beau. A Val d’Isère il y a un torrent qui coule dans une vallée profonde. Les pentes au-dessus du torrent sont couvertes de sapins, et, au-dessus de ces grands sapins on voit les pics qui se dressent dans le ciel bleu tout blancs de neige. Oh, c’est magnifique ! Mais regarde donc mes photos.”

“ C’est ici l’hôtel où tu as passé un mois ? ”

“ Oui. N’est-ce pas qu’il est bien placé, là, sur la pente ? Regarde cette autre aussi.”

“ Oh, les belles vaches ! ” dit Paul. “ Et quelle jolie prairie, toute pleine de fleurs.”

" Les fleurs sont merveilleuses ; je n'ai jamais vu de si belles couleurs. Mais que penses-tu de ceci ? "

Paul rit. " Quel drôle de bonhomme ! " dit-il. " Qu'est-ce qu'il tient là, dans les bras, je me demande ? "

" N'est-ce pas qu'il a l'air drôle ? " répond Jacques. " Regarde de plus près. C'est un grand fromage ! Vois-tu ce petit chalet, là-haut ? C'est là qu'il demeure tout l'été. Il monte avec les vaches au mois de mai ; il quitte sa famille et son village et il passe tout l'été, avec le troupeau, en pleine montagne, à une altitude de 2000 mètres."

" Mais comment passe-t-il donc son temps ? Et que mange-t-il ? "

" Il garde les vaches au pâturage ; puis à quatre heures il les rentre. On les trait ; puis, notre homme et son compagnon préparent le fromage de la région, le fromage qui est si célèbre."

" Comment le font-ils ? " demande Paul, tout émerveillé.

rentrer --- to bring in.
traitre --- to milk

Chauffer - to warm. en effet - indeed
remuer - to stir garder - to keep
caillé - curdled frais - cool
sombre - dark

" Ils ont un grand chaudron, un chaudron énorme. Ils allument du feu par-dessous ; ils chauffent le lait en le remuant ; puis ils mettent le lait caillé sous presse, et quand il est resté assez longtemps sous la presse, c'est comme tu vois— un énorme cercle, jaune comme la lune. Notre homme est très fier de son fromage, comme tu vois."

" En effet," dit Paul. " Et pourquoi ce numéro qu'on voit ici, sur le fromage ? "

" C'est le numéro de ce fromage," dit Jacques. " As-tu remarqué cet autre petit chalet, à quelque distance du premier ? C'est là que l'homme garde ses fromages ; ce chalet est comme une cave, frais et sombre. Là les gros fromages sont gardés pendant des mois."

" Tiens, quelle curieuse vie," dit Paul. " Mais très solitaire, n'est-ce pas ? Et que mange-t-il, ton bonhomme ? "

le sentier --- the path
goûter - to taste, to have afternoon tea.
prochain --- next

" Mais du lait, mon ami, car il n'a pas autre chose. On monte du pain une fois par semaine ; un mulet vient par ce petit sentier que tu peux distinguer là, à côté. C'est par ce sentier que nous sommes montés, nous, ce jour-là."

" Qu'as-tu fait ensuite, ce jour-là ? "

" Oh, nous avons eu encore beaucoup d'aventures," répond Jacques. " Mais je te raconterai tout ça un autre jour."

" Viens goûter avec nous jeudi prochain," dit Paul. " Apporte toutes tes photos, veux-tu ? "

" Très volontiers. J'accepte avec plaisir. A jeudi donc."

III

Exercice I. (Exemple : — pente — montagne. *La* pente *de la* montagne) :

1. — pente — montagne.
2. — photo — bonhomme.
3. — aventure — garçon.
4. — destination — autocar.
5. — torrent — vallée.
6. — couleur — fleur.
7. — ascension — pic.
8. — chalet— village.
9. — numéro — fromage.
10. — pâturage — troupeau.

Exercice II. Exprimez les phrases suivantes en employant *on* et la troisième personne du singulier (Exemple : Les meilleurs trains se trouvent en cette saison. *On trouve* les meilleurs trains en cette saison) : 1. Les meilleurs trains se trouvent en cette saison. 2. Le café a été servi. 3. La fenêtre s'ouvre. 4. La malle a été descendue. 5. La porte se ferme à deux heures. 6. Ces choses ne se font pas. 7. D'ici il y a une vue sur la vallée. 8. La levée de dix heures a été faite. 9. Quelqu'un demande un poste. 10. Ce fromage est préparé à la montagne. (p. 248.)

Exercice III. Écrivez au singulier (Exemple : Dans ces vallées nous voyons des torrents profonds. Dans *cette vallée je vois un torrent profond*) :

1. Dans ces vallées nous voyons des torrents profonds.
2. Asseyez-vous, mes amis.
3. Les mères tiennent ces enfants par les épaules.
4. Venez goûter avec nous.

5. Ils ont de grosses valises dans les compartiments.
6. Nous nous levons de nos places.
7. Les nouveaux élèves vont aux lycées.
8. Ils saisissent leurs cartables.
9. Des groupes d'élèves attendent dans les cours.
10. Elles font les choses qu'elles doivent faire. (pp. 240, 257.)

Exercice IV. Écrivez au passé composé : il sort ; il court ; il va ; il tient ; il entre ; il doit ; il appelle ; il descend ; il est ; il arrive. (pp. 256-65.)

Exercice V. 1. Je fais des emplettes :

(1) Chez le boulanger : 12 petits pains à 0 fr. 15 pièce.
(2) Chez le fruitier : 10 oranges à 0 fr. 30 pièce et 2 kilos de pommes à 2 fr. 50 le kilo.
(3) Au bureau de poste : 10 timbres de 0 fr. 90.

Je sors avec un billet de 20 fr. Combien me reste-t-il quand je rentre à la maison ? (p. 268.)

2. Un touriste part d'un village situé à 1609 mètres d'altitude pour faire l'ascension d'un pic haut de 2740 m.

(1) Combien de mètres fait-il ?
(2) Combien de " feet " anglais ?

Comparez la hauteur de cette ascension avec celle d'une montagne en Angleterre ou en Écosse. (p. 269.)

Exercice VI. Dans les phrases suivantes, remplacez les tirets par le pronom relatif qui convient : 1. Le pays — j'ai visité est beau. 2. Il y a une vallée avec un torrent — coule très rapidement. 3. Nous avons vu un petit chalet — habite un berger. 4. Où est le village — vous aimez tant ? 5. Les pentes — sont couvertes de sapins sont très belles. 6. Le pain — il fait est excellent. 7. C'est l'hôtel — tu as vu à la montagne. 8. Le berger prépare le fromage — est si célèbre. 9. L'ami — je vois m'attend. 10. Le fromage — j'ai goûté est bon. (p. 249.)

Exercice VII. Écrivez au féminin : 1. Ce gros homme est très fier. 2. Il porte un chapeau neuf. 3. Le bon berger habite dans un petit chalet. 4. Ces beaux messieurs sont les premiers à venir. 5. Il a son bon grand père qui l'attend. (pp. 237-8, 242-3.)

Exercice VIII. Répondez :

1. A quelle heure sortez-vous du lycée ?
2. Combien de temps dure le voyage entre Londres et la ville où vous habitez ?
3. Quelle est la différence entre une gare et une station ?
4. Qu'est-ce qu'une nuit blanche ?
5. Qui est Napoléon ? Pourquoi est-il célèbre ?
6. Qu'est-ce qu'un autocar ?
7. Avez-vous jamais fait une ascension ?
8. Quelle est la différence entre un torrent, une rivière et un lac ?
9. Où voit-on des chalets ?
10. Dans quelle région de la France trouve-t-on des chalets ?
11. Qu'est-ce qu'un sapin ?
12. Nommez une haute montagne en France.
13. Que fait un berger ?
14. Qu'est-ce que le lait caillé ?
15. Aimez-vous le fromage ? Nommez un fromage célèbre (*a*) en France, (*b*) en Angleterre, (*c*) en Italie.
16. Où voyez-vous des caves ?

Exercice IX. Écrivez une description de la gravure (p. 26).

Exercice X. 1. Apprenez par cœur la série suivante :

Je pars de la ville à 8 heures du soir.
Je fais le voyage de nuit.
Le lendemain matin j'arrive à la montagne.
Je descends du train.
Je déjeune au buffet de la gare.
Je prends une place dans l'autocar.
Je monte dans une vallée de montagne.
J'y passe trois semaines.

2. Apprenez par cœur le vocabulaire suivant :

le pic	la montagne
le torrent	la vallée
le berger	la pente
le troupeau	une altitude
hier	la veille
aujourd'hui	aujourd'hui
demain	le lendemain

faire une ascension
passer une nuit blanche
dormir comme une souche

IV. ON NAGE

Dans les lycées français on est toujours libre le jeudi après midi. Paul sera libre et il a invité son ami Jacques à venir goûter à quatre heures.

A midi toute la famille Lépine est réunie autour de la table.

" Paul, que comptes-tu faire cette après-midi ? " demande Monsieur Lépine.

" Si tu veux bien, Papa, j'irai à l'école de natation avec Jacques. Tu sais comme il nage bien et il dit que j'ai fait beaucoup de progrès cette année."

" Très bien, mon fils," dit son père. " C'est une excellente idée, car il fait vraiment chaud aujourd'hui pour la saison. Tu auras ta leçon de musique comme d'habitude, je suppose, Bobette ? "

" Oui, Papa, et ensuite je jouerai au tennis avec Solange."

" C'est bien, Bobette."

A ce moment Toto élève la voix. " Moi aussi, je nagerai," dit-il. " N'est-ce pas, Bobette?"

Bobette rit aux éclats. " En effet, Toto, tu nageras comme un petit canard," dit-elle. " Tu seras a-do-ra-ble dans l'eau ! "

" A-do-ra-ble," fait Toto. " J'irai avec Jacques et toi, Paul."

" Pas aujourd'hui, Toto," dit Paul. " Un autre jour peut-être, quand tu seras plus grand."

Toto n'est pas content. " Moi aussi, je nage — je nage très bien."

Il regarde Paul qui s'en va retrouver Jacques. " Au revoir, Paul. Moi aussi, je vais nager."

Paul rit et s'en va. " Au revoir, Toto.

Nage, nage.
Mais — sois sage.

Je te regarderai nager ce soir, et Jacques aussi."

Bobette donne un baiser à son petit frère. " Au revoir, mon Toto ; je te rapporterai des bonbons si tu es sage ! "

Bobette s'en va, elle aussi, à sa leçon de musique. Après sa leçon elle retrouvera son amie Solange et les deux jeunes filles joueront au tennis. Monsieur Lépine partira bientôt, car il a beaucoup de travail à son bureau et il est toujours pressé.

" Amuse-toi ici, Toto," dit Madame Lépine. " Voici ta ferme et tes jolis petits animaux que tu aimes tant. Tu bâtiras une belle maison pour tes animaux, n'est-ce pas ? Maman sera tout près, dans la cuisine. Sois sage, mon Toto."

Madame Lépine s'en va dans la cuisine préparer pour le goûter un certain gâteau au chocolat que Paul adore. La belle surprise pour Paul quand il rentrera à quatre heures !

Pendant quelque temps Toto reste sage. Il a sa ferme ; il arrangera ses animaux sur une petite table basse qui est dans la salle à manger. Il est content ; il fredonne :

" Frère Jacques, frère Jacques,
Dormez-vous, dormez-vous ? "

Car il aime beaucoup Jacques, l'ami de Paul, qui est très gentil pour lui.

Il arrange ses animaux ; il les compte. Voici les vaches et les moutons (Bê ! Bê !) et le bon toutou (Oua ! Oua !) et le chat (Miaou !) et Monsieur Baudet (Hi ! Han ! Hi ! Han !) et le coq (Coquerico !) et la poule, Madame Blanche, et Madame l'Oie et Monsieur le Dindon—

" Sonnez les matines ; sonnez les matines !
Din ! Don ! Din ! Din ! Don ! Din ! "

A ce mot " Din ! Don ! Din ! " Toto, d'un beau geste, balaye Monsieur le Dindon de la table, car Monsieur le Dindon n'est pas sage ; il est glouton, très glouton. Non, vraiment on n'est pas glouton comme Monsieur le Dindon (Glou ! Glou !).

Et voici les petits canards blancs. Toto aime les canards, oh, qu'il aime les canards ! Il aime courir après les canards. Les canards marchent si bien ; ils nagent si bien ; ils font " Coin ! Coin ! " et ils nagent—

" Sois sage.
Et nage, nage."

A ce mot " nage," Toto s'arrête. Mais oui, naturellement, les canards nageront. Mais où est l'eau pour les canards ? Oui, où est la mare aux canards ?

Toto a une idée, une excellente idée. Il y a de l'eau dans la salle de bains. Oui, naturellement, les canards nageront dans la baignoire. Pourquoi pas ?

Doucement, très doucement, Toto s'en va sur la pointe des pieds, car Maman est occupée, n'est-ce pas, et on ne doit pas la déranger, oh non !

Doucement il entre dans la salle de bains, baisse la soupape et ouvre les deux robinets. Oh, la belle cascade ! Les canards seront contents, très contents.

L'eau monte dans la baignoire ; elle monte vite ; elle montera jusqu'au bord. Toto rit, il bat des mains ; de ses petits doigts dodus il saisit les canards, l'un après l'autre, et les plonge dans l'eau : " Hop ! Monsieur le Canard !

Sois sage.
Et nage, nage ! "

L'eau monte ; elle déborde. Oh, la jolie cascade sur le plancher ! Toto est mouillé ; il a ses petits pieds dans l'eau. Il est content.

" Sois sage.
Et nage, nage !

Boum ! Boum ! " Toto est heureux comme un roi.

A ce moment Bobette rentre pour chercher sa raquette. Elle ouvre la porte de l'appartement— mais qu'est-ce donc que ce petit ruisseau qui coule dans le vestibule ? Mon Dieu, qu'est-ce qui est arrivé ?

Bobette se précipite — elle ouvre la porte de la salle de bains —

Et voici Toto, sur le plancher, dans l'eau. Il chante :

> " Je nage, je nage !
> Que je suis sage ! "

IV

Exercice I. Écrivez la forme convenable de *le*, *la*, *les*, et de *beau*, *bel*, *belle*, *beaux*, *belles*, devant (Exemple : lycée. *Le beau* lycée) : lycée ; école ; enfants ; voix ; coq ; oie ; poules ; leçon ; village ; œil. (p. 238.)

Exercice II. Dans les phrases suivantes, remplacez les substantifs par le pronom personnel qui convient (Exemple : Toto élève la voix. *Il l'*élève) : 1. Toto élève la voix. 2. L'eau remplit la baignoire. 3. Toto chasse les dindons. 4. Ne mangez pas ce gâteau. 5. Le professeur de musique donne des leçons. 6. Avez-vous vu mon canard ? 7. Paul a invité son ami. 8. L'enfant arrange ses petits animaux. 9. La fillette cherche sa raquette. 10. Bobette rapportera des bonbons. (pp. 243-4.)

Exercice III. Écrivez au futur (Exemple : Je nage. Je *nagerai*) : je nage ; je commence ; je suis ; je pars ; je vais ; nous finissons ; nous allons ; nous descendons ; nous mettons ; nous posons ; vous arrivez ; vous portez ; vous êtes ; vous bâtissez ; ils vont ; ils sont ; ils sortent ; ils marchent ; ils regardent. (p. 252.)

Exercice IV.

1. Écrivez les jours de la semaine, les mois de l'année et les quatre saisons.
2. Écrivez la date d'aujourd'hui.
3. Quelle heure est-il ? 12.10 ; 1.30 ; 4.45 ; 8.20 ; 3.15. (pp. 266-7.)

Exercice V. Écrivez au passé composé (Exemple : Elle va voir ses parents. Elle *est allée* voir ses parents) : 1. Elle va voir ses parents. 2. Les canards nagent bien.

3. Les enfants partent à quatre heures. 4. L'animal qu'il achète est très beau. 5. Elle pose ses livres sur la table. 6. Où mettez-vous ma casquette ? 7. Nous rentrons à sept heures ce soir. 8. Le garçon que je vois est petit. 9. Elle ne reste pas longtemps. 10. Ils remplissent la baignoire. (p. 254.)

Exercice VI. Faites le plan d'une maison. (p. 276.)

Exercice VII. Complétez les définitions : 1. Un appartement est . . . 2. Une salle de bains est . . . 3. Un lycée est . . . 4. Un canard est . . . 5. Une école de natation est . . . 6. Une vache est . . .

Exercice VIII. Répondez :

1. Nommez les repas du jour et les heures de ces repas.
2. Que mange-t-on au goûter ?
3. Savez-vous nager ?
4. Jouez-vous au tennis ?
5. Aimez-vous les gâteaux au chocolat ?
6. Fait-il chaud aujourd'hui ?
7. De quelle couleur sont les petits poulets ?
8. Nommez les animaux qu'on voit dans une ferme.
9. Marchez sur la pointe des pieds !
10. Nommez les différentes pièces d'une maison.

Exercice IX. Sujet de composition :

Visite à la ferme

1. Le voyage (dans le train — par l'autobus — dans l'automobile de votre père).
2. L'arrivée à la ferme (description du fermier — de la fermière — de leurs enfants).

3. Les animaux (le bœuf, la vache, le mouton, les porcelets, etc.).
4. Les oiseaux (le dindon, l'oie, le coq, la poule, le canard, etc.).
5. Le retour à la ville.

Exercice X. Apprenez par cœur :

1. Le vocabulaire suivant :

le lycée	une école (de natation)
le progrès	la leçon
le robinet	la salle de bains
le coq	la baignoire
le poulet	une eau
le canard	la poule
le dindon	une oie
le mouton	la vache

déborder
mouiller
battre des mains
rire aux éclats
élever la voix

2. La série suivante :

J'entre dans la salle de bains.
Je baisse la soupape.
J'ouvre les robinets.
J'ôte mes vêtements.
Je ferme les robinets.
Je me baigne à l'eau chaude.
Je me frotte avec le savon.
Je m'éponge avec l'éponge.
Je sors de la baignoire.
Je me frotte avec une serviette.
Je m'habille.
Je sors de la salle de bains.

V. DANS L'AUTOBUS

Pendant les mois d'été, quand il fait chaud, Paul va quelquefois avec Jacques à l'école de natation. Ils se retrouvent devant la maison où Jacques demeure avec ses parents et prennent l'autobus au coin de la rue.

Donc à deux heures et demie Paul arrive au rendez-vous où il retrouve Jacques et trois autres camarades du lycée — le gros Georges, qui nage et plonge si bien, le petit Pierre, aux cheveux noirs, aux yeux vifs, qui est toujours très gai, et le grand André, qui parle très peu, mais qui est très doux et très bon. Les cinq camarades s'en vont le long de la rue jusqu'à un arrêt de l'autobus.

" C'est bien le A C bis que nous allons prendre?" leur demande Paul.

“ Mais oui ; il s’arrête ici, comme tu sais,” répond Pierre, lui montrant l’écriteau. “ Il n’y a personne pour le moment, mais prends tout de même ton numéro, car il y a souvent beaucoup de monde ici, le jeudi, quand l’autobus arrive.”

Les cinq camarades prennent chacun un numéro.

“ Le voilà ! Le voilà ! ” s’écrie Paul.

“ Pas encore, mon cher,” lui dit Georges. “ C’est le A C, non pas le A C bis. Patience ! ”

Deux minutes plus tard, l’autobus arrive, déjà bondé. Six personnes descendent. Les cinq camarades se précipitent.

“ Qui a le premier numéro ? ” demande le receveur.

“ C’est moi,” dit Pierre. “ J’ai le 425.”

“ Et moi le 426,” dit Paul. “ Et moi le 427,” dit Georges. “ Et moi le 428,” dit Jacques.

Le grand André ne dit rien ; il donne son numéro au receveur qui le regarde et le lui rend.

“ Qui a le 430 ? ” demande-t-il.

“ C’est un monsieur qui l’a pris, mais il n’est plus là ; il est parti,” répond une dame. “ Moi, j’ai le 431.”

“ Montez, Madame,” lui dit le receveur. “ Vous trouverez une place à l’intérieur.” “ Merci,” dit la dame. Elle entre pour trouver sa place.

Les cinq amis restent sur la plateforme ; ils aiment regarder la rue — les gens affairés sur le trottoir — les superbes automobiles qui passent — les marchands des quatre saisons qui poussent leurs petits chars pleins de fruits et de légumes — les camelots qui montrent leurs marchandises aux passants, en faisant des gestes comiques.

" Vos billets, s'il vous plaît, Messieurs et Mesdames." C'est le receveur qui arrive.

Pierre sort de sa poche un petit carnet de billets. Il détache de ce carnet deux coupons, et les lui donne. " Voilà, Monsieur."

" C'est combien ? " lui demande Paul. " C'est 1 fr. 60," lui répond Pierre, " car nous descendrons à la rue du Bac." Paul donne au receveur une pièce de cinq francs et reçoit son billet. " Vous n'avez pas deux sous ? " lui demande le receveur.

" Si," répond Paul. Il lui donne une pièce de 10 centimes et le receveur lui rend trois francs et une pièce de 50 centimes. " C'est ça ; merci, Monsieur."

" Regardez donc ! " s'écrie Pierre tout à coup.

Une belle automobile, conduite par une jolie dame, sort à toute vitesse d'une rue qui débouche à angle droit dans la rue principale.

Un choc violent jette les camarades l'un sur l'autre. Le gros Georges reçoit le receveur en pleine figure ; Jacques et Pierre s'embrassent cordialement ; Paul, sur le point d'être précipité dans la rue, est saisi et retenu par le grand André.

Le machiniste descend de l'autobus ; le receveur est déjà descendu. La dame de l'automobile, toute pâle, reste sur son siège et ne dit rien ; son chauffeur regarde la belle voiture avec regret, car l'un des pare-boue est tout tordu.

Le machiniste est furieux. " Mais à quoi pensez-vous donc, de conduire si vite, Madame ? Vous êtes folle ! Sans mes freins solides —— ! "

" Oh," dit le receveur, " vous savez, quand les dames prennent le volant ! "

Le machiniste remonte à sa place et l'autobus repart.

" Jolie voiture," dit Pierre. " Panhard, dernier modèle. Quel dommage ! "

V

Exercice I. Écrivez au singulier (Exemple : Les beaux amis s'en vont le long des rues. *Le bel ami s'en va le long de la rue*) :

1. Les beaux amis s'en vont le long des rues.
2. Ces animaux ont les yeux vifs.
3. Nous voyons les principaux magasins de ces villes.
4. Nous nous asseyons sur des chaises basses.
5. Elles inviteront leurs amies à venir les voir.
6. Nous commençons nos devoirs à deux heures.
7. Ce sont des messieurs qui les ont pris.
8. Venez avec nous dans ces nouveaux hôtels.
9. Nous aimerons toujours nos vieux amis.
10. Ces enfants partent avec leurs parents. (pp. 238, 243.)

Exercice II. Dans les phrases suivantes, remplacez le tiret par *oui* ou *si* : 1. C'est bien le A C que nous allons prendre ? — 2. Il n'est pas encore parti ? — 3. Aimez-vous les bonbons au chocolat ? — 4. L'autobus a-t-il passé ? — 5. Vous n'allez pas partir si tôt ? — 6. Voyez-vous cette belle voiture ? — (p. 252.)

Exercice III. Écrivez au futur :

je vais ; je donne ; je pars ; je suis ; je dis ; vous saisissez ; vous rentrez ; vous buvez ; vous prenez ; vous montez ; vous sortez ; il va ; il est ; il descend ; il conduit ; il met. (pp. 252, 256-65.)

Exercice IV. Dans les phrases suivantes, remplacez les tirets par la forme convenable de : *ne . . . plus*, *ne . . . rien*, *ne . . . personne*, *ne . . . jamais* (Exemple : Il — y a — dans la rue. Il *n*'y a *personne* dans la rue) : 1. Il — y a — dans la rue. 2. Qu'a-t-elle fait ? Elle — a — fait. 3. — êtes-vous — allé à l'école de natation ? Si, une fois. 4. L'autobus — passe — par cette rue. 5. Mais cet enfant — mange — du tout ! Est-il malade ? 6. Est-ce qu'il est parti ? On — le voit — aujourd'hui. 7. Vous trouverez des places ! Mais il — y en a — dans l'autobus. 8. — avez-vous — visité une ferme ? Quel dommage ! 9. Elle est très timide, mais — voyant — dans le magasin, elle y est entrée. 10. J'ai faim, Maman ; je — ai — mangé ce matin. (p. 251.)

Exercice V. Répondez :

1. Quand fait-il chaud ?
2. Demeurez-vous dans un appartement ou dans une maison ? (p. 276.)
3. Qu'est-ce qu'un rendez-vous ?
4. Qui, dans la classe, a les cheveux noirs ?
5. Y a-t-il un service d'autobus dans votre ville ?
6. Nommez deux divisions d'un autobus. Dans quelle division préférez-vous être ?
7. Nommez les quatre saisons.
8. Qu'est-ce qu'un marchand des quatre saisons ? Où le voit-on ?
9. Nommez des choses qu'on voit sur le char d'un marchand des quatre saisons. (p. 282.)
10. Qu'est-ce qu'un camelot ? Y a-t-il des camelots dans votre ville ?
11. Combien de degrés y a-t-il dans un angle droit ?
12. Nommez des parties d'une automobile, d'un train et d'une maison. (pp. 276, 281, 284.)

Exercice VI. Dans les phrases suivantes, remplacez les substantifs par des pronoms (Exemple : Paul retrouve ses amis. *Il les* retrouve) : 1. Paul retrouve ses amis. 2. Les cinq camarades donnent leurs numéros au receveur. 3. La dame trouvera une place. 4. Je prends un taxi. 5. Regardez-vous la voiture ? 6. André ne regarde pas le receveur. 7. Pierre sort son carnet. 8. N'avez-vous pas vu mon ami ? 9. " Prends ton numéro," dit Paul à Pierre. 10. Ne perdez pas votre carnet. (pp. 243-5.)

Exercice VII. Venir. *Revenir. Je reviens à sept heures.* Formez ainsi des verbes, et composez une phrase pour chaque verbe : trouver ; commencer ; voir ; tirer ; écrire ; mettre ; partir ; lire ; passer ; entrer.

Exercice VIII.

1. Je monte dans un autobus avec mon ami. Je paye les deux billets, 1 fr. 60 chacun. Je donne une pièce de 10 fr. et reçois ?
2. Madame Lépine achète à un marchand des quatre saisons : 10 oranges à 0 fr. 80 pièce ; 5 poires à 0 fr. 75 pièce ; 3 livres de pommes à 2 fr. la livre. Elle a une pièce de 20 fr. Écrivez le dialogue et faites l'addition.
3. Une douzaine d'œufs à 0 fr. 40 pièce ; 2 litres de lait à 2 fr. 50 le litre. Combien cela fait-il ? (pp. 268-9.)

Exercice IX. Sujet de Composition :

Dans la rue

1. Vous avez un rendez-vous avec un ami. Il est en retard. L'autobus part.
2. Votre ami arrive. Ses excuses.
3. Vous montez dans le second autobus. Dialogue avec le receveur.
4. Les personnes dans l'autobus. Dialogue.
5. Arrivée à destination.

Exercice X. Apprenez par cœur :

1. Le vocabulaire suivant :

La rue

un autobus	le marchand des quatre saisons
un arrêt	le camelot
le numéro	conduire
le billet	monter
le carnet	descendre
le tramway	vendre
le machiniste	acheter
le receveur	traverser
la voiture	c'est combien ?
le taxi	la pièce
le camion	le franc
la camionnette	le centime

le passant

2. Le vocabulaire, p. 277.

3. La série suivante :

Promenade en ville

Je sors de la maison.
Je me promène dans la rue.
Je regarde les magasins.
Je vois des autobus, des tramways et des automobiles.
Je traverse la rue sur un passage clouté.
J'écoute un camelot.
J'achète des fruits à un marchand des quatre saisons.
J'achète une rose à une marchande de fleurs.
Je prends un taxi.
Je rentre à la maison.

RÉVISION

Exercice I. (Exemple : — retour — famille. *Le* retour *de la* famille) : 1. — retour — famille. 2. — couloir — train. 3. — heure — arrivée. 4. — numéro — porteur. 5. — pâturage — troupeau. 6. — robinet — baignoire. 7. — fleur — prairie. 8. — pente — vallée. 9. — couleur — nuage. 10. — escalier — appartement. 11. — retard — train. 12. — lendemain — voyage.

Exercice II. Écrivez au passé composé (Exemple : La locomotive entre dans la gare. La locomotive *est entrée* dans la gare) : 1. L'autobus arrive à l'arrêt. 2. La dame appelle un taxi. 3. Je lis ces livres. 4. La petite fille commence la leçon. 5. Elles tombent dans la crevasse ! 6. Elle bavarde longtemps avec son amie. 7. Le berger fait un fromage dans son chalet. 8. Il dit des choses qui ne sont pas vraies. 9. Elle part avec son amie pour jouer au tennis. 10. Combien ce voyage vous coûte-t-il ? (pp. 254-5.)

Exercice III. Remplacez les substantifs par des pronoms personnels (Exemple : Le berger mène le troupeau. *Il le* mène) : 1. Le guide a traversé le glacier hier. 2. Mon compagnon retrouve ses amis. 3. Son père dit au garçon de mettre ses souliers ferrés. 4. La mère donne un beau gâteau à son fils. 5. Ne donnez pas ce livre à l'enfant. 6. Le receveur donne son billet à la dame. 7. Avez-vous vu mon cartable ? 8. Paul cherche sa canne à pêche. (pp. 243-5.)

Exercice IV.

1. Écrivez les jours de la semaine, les mois de l'année et la date d'aujourd'hui.
2. Quelle heure est-il ? 7.10 ; 8.15 ; 11.30 ; 12.0 ; 15.25 ; 17.45 ; 1.30 ; 4.50. (p. 266.)
3. Calculez 10 timbres à 0 fr. 90 et 4 timbres à 1 fr. 50.
4. Calculez le prix du voyage de Paris à Lyon, étant donné la distance (512 km.) et le tarif du chemin de fer (35 ct. le km.). Combien ce voyage coûtera-t-il aujourd'hui en argent anglais ?
5. Je pars en voyage. Je m'achète une paire de gros souliers ferrés à 165 fr., un piolet à 35 fr., un sac à 50 fr. 50. Calculez le prix de mon équipement en argent français et en argent anglais. (pp. 268-9.)

Exercice V. Répondez :

1. Quelle heure est-il à votre montre ?
2. Ouvrez de grands yeux !
3. Quelle est la différence entre une porte, un porteur et une portière ?
4. Que fait-on avec une canne à pêche ?
5. Où met-on ses habits quand on va faire un voyage ?
6. Qui fait le miel ?
7. Qu'est-ce qu'un porteur français porte ?
8. Énumérez les bagages de la famille Lépine.
9. A quelle heure rentrez-vous du lycée ?
10. Combien de semaines de vacances avez-vous (*a*) pour Noël, (*b*) pour Pâques, (*c*) pour les grandes vacances ?
11. Nommez les quatre saisons.
12. Comptez les livres et les cahiers dans votre pupitre.

Exercice VI. Dans les phrases suivantes, remplacez l'infinitif par le temps convenable (Exemple: Si tu (être) sage, tu (avoir) un bonbon. Si tu *es* sage, tu *auras* un bonbon) : 1. Si tu (être) sage, tu (avoir) un bonbon. 2. Que (compter)-tu faire, quand tu (être) grand ? 3. Que lui (dire)-vous quand vous le (voir) ? 4. Que (faire)-vous quand vous (sortir) demain ? 5. Quel âge (avoir)-vous le jour de l'an ? 6. Le gâteau (être) prêt quand vous (rentrer). 7. Si vous (ouvrir) le robinet, l'eau (couler) dans la baignoire. 8. Papa (être) content quand il vous (voir). (p. 253).

Exercice VII. Trouvez le contraire de: vite; midi; devant; au-dessus; la montagne; la sortie; il fait chaud; le train de nuit; tout à l'heure; je me lève.

Exercice VIII. Écrivez au négatif: 1. Avez-vous des bonbons aujourd'hui ? 2. Il y a de la neige sur la montagne en cette saison. 3. Cette ville est située au bord de la Seine. 4. Cette leçon passe-t-elle vite ? 5. Asseyez-vous sur le miel, mes enfants ! 6. Cette grosse dame aime se tenir debout dans le couloir. 7. On porte sa robe de bal pour traverser un glacier. 8. Cet enfant a faim; donnez-lui du sucre à manger. (pp. 251-2).

Exercice IX. Faites des définitions pour répondre aux questions:

Qu'est-ce qu'un (1) voyageur, (2) chauffeur, (3) magasin, (4) marchand des quatre saisons, (5) camelot, (6) hôtel, (7) lycée, (8) receveur ?

Exercice X. Écrivez au pluriel : je vais, je commence, je veux, je viens, je dors, je dois, je jette, je longe, je lève, j'appelle ; tu bois, tu dis, tu pars, tu souris, tu mets, tu suis, tu descends, tu saisis, tu vois, tu finis ; il a, il fait, il prend, il sait, il ouvre, il court, il tient, il conduit, il bat, il bâtit. (pp. 256-65.)

Exercice XI. Écrivez au singulier :

1. Nous voyons nos amis dans les jardins.
2. Voulez-vous manger ces beaux abricots ?
3. Ces animaux sont des taureaux.
4. Ils ont mal aux yeux.
5. Ces messieurs prennent les volants des automobiles.
6. Donnez-nous des bonbons, s'il vous plaît.
7. Ces porteurs sont très vigoureux.
8. Mesdames appellent des taxis. (p. 238.)

Exercice XII. 1. Entrer. *Rentrer*. Faites ainsi des verbes en ajoutant *re-* à : voir ; monter ; attraper ; trouver ; appeler ; ouvrir ; emplir ; passer ; fermer ; partir.

2. Un an. *Une année*. Faites ainsi des substantifs de : un jour ; un soir ; un matin ; une bouche ; un bras ; une cuillère.

Exercice XIII. Répondez :

1. Que fait-on avec un appareil ?
2. Combien de leçons (*a*) de mathématiques, (*b*) de français, (*c*) d'anglais avez-vous par semaine ?
3. Combien de minutes cette leçon dure-t-elle ?
4. Quel âge avez-vous ?

5. Qu'est-ce qu'une nuit blanche ?
6. Quelle est la différence entre une automobile, un autocar et un autobus ?
7. Nommez des couleurs.
8. Comment fait-on le fromage ?
9. Quelle est l'altitude de cette ville ?
10. Que fait-on quand on va allumer un feu ?
11. Qu'est-ce qu'une cave ?
12. Nommez des animaux.

Exercice XIV. Donnez les adverbes pour les adjectifs : vigoureux ; large ; profond ; long ; vif ; gai ; sec ; cher ; bon ; délicieux ; évident ; énorme. (p. 250.)

Exercice XV. Sujets de composition :

1. Dialogue dans la cour avant le commencement des classes.
2. Dialogue d'une famille assise autour de la table à midi et demi. (p. 278.)
3. Description d'un animal.
4. Je prépare mes devoirs pour le lendemain.
5. Une promenade en montagne (Préparatifs — départ — choses vues — fleurs — retour). (p. 281.)
6. Description d'un accident vu dans la rue. (p. 277.) (Où — à quelle heure — les personnes — les voitures — comment — résultat.)
7. Je rentre à la maison. Quand j'ouvre la porte, je vois, à ma grande surprise, un joli petit ruisseau qui descend l'escalier. Je monte, quatre à quatre, et je trouve . . . Continuez.
8. Description de notre nouvelle automobile. (p. 284.)

VI. A L'ÉCOLE DE NATATION

Arrivés à l'école de natation les cinq amis prennent leurs billets d'entrée. Chacun a son maillot et sa grande serviette de bain. Ils entrent au vestiaire pour se déshabiller et en moins de cinq minutes ils sont prêts.

" Regardez Georges," dit Pierre. " Il a appris une nouvelle méthode et va nous la montrer."

Le gros Georges monte sur le tremplin, étend les deux bras et plonge.

" Est-ce que l'eau est bien profonde là-bas ? " demande Paul.

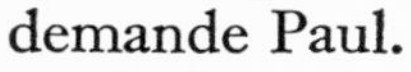

" Oh, elle a peut-être deux mètres de profondeur, pas davantage, certainement; elle n'a qu'un mètre ici où nous nous tenons."

" Mais regardez donc Georges ! " s'écrie Jacques à ses camarades.

Georges est très fier de sa nouvelle méthode, le crawl, et il va la leur montrer. Il nage vite dans leur direction.

" Va plus lentement, Georges," s'écrie Jacques. " Ne va pas si vite ; nous voulons voir et tu vas si vite ! "

" Bien," dit Georges. Il s'avance lentement dans l'eau, en faisant le crawl. Ses amis le regardent avec admiration.

“ C’est très beau,” dit Pierre. “ Qui te l’a appris ? ”

“ C’est le vieux professeur de natation à Dinard qui me l’a montré,” dit Georges. “ Il m’a donné aussi quelques leçons. Mais c’est vraiment très simple, et c’est extrêmement rapide, comme vous voyez.”

“ Veux-tu nous l’apprendre ? ”

“ Bien sûr ; venez tous, je vous le montrerai.”

Et Georges, qui est vraiment très bon, le leur montre, ce beau crawl. Georges aime beaucoup nager ; il peut rester dans l’eau pendant des heures, car, étant gros, il n’a jamais froid quand il se baigne. Et un jour, quand il sera un grand homme, bien musclé, il espère pouvoir passer la Manche à la nage ! Il y a tant de personnes qui le font aujourd’hui, n’est-ce pas ? Alors pourquoi pas Georges comme un autre ? Et il s’en va à travers la piscine, rapide comme une flèche.

Ses amis l’admirent. Ils sont sûrs qu’il le fera un jour, ce grand exploit. Ils le suivront dans un canot automobile, lui apportant des boissons chaudes, de la soupe peut-être, avec un peu de rhum ou d’eau de vie. Quel beau jour ce sera !

En attendant, ils se débattent tous dans l'eau de la piscine. André essaye de sauver la vie à Jacques, qui fait le noyé ; Paul s'exerce à nager et à faire la planche, car il n'est pas encore très fort dans l'eau. Il n'a pas eu l'occasion de nager à St. Benoît, mais Georges et Pierre ont passé les grandes vacances au bord de la mer et nagent déjà très bien.

Tout à coup Georges les appelle. " Dites donc, Jacques et Pierre, n'allez-vous pas faire ce fameux match ? "

Pierre bat des mains. " Quelle bonne idée, n'est-ce pas, André ? "

" Nous voulons bien," disent les deux concurrents.

" Bien," dit Georges. " Alors, moi, je serai l'arbitre, toi, André, tu leur donneras le signal du départ ; Paul, tu seras là-bas, à l'autre bout de la piscine ; tu verras s'ils touchent le bord avant de repartir. Vous allez faire six longueurs."

Jacques et Pierre s'alignent sur la margelle. Le grand André donne le signal : " Un ! deux ! trois ! Allez ! "

Floc !

Les deux corps frappent l'eau à la même seconde ; rapides comme des flèches les deux garçons traversent l'eau à coups de bras vigoureux. A l'autre bout de la piscine Paul les attend, grave et attentif ; il est très fier d'avoir été choisi pour prendre cette responsabilité.

Deux — trois — quatre longueurs !

Pierre est devant — oh, bien nagé, Pierre ! Mince, rapide, il a l'air d'un petit poisson qui darde çà et là. Mais Jacques est solide et tient bon ; il est plus résistant.

Peu à peu il gagne du terrain—la distance qui le sépare de Pierre devient de plus en plus petite.

Cinq longueurs !

Paul quitte son poste et court à l'autre bout de la piscine, où se tiennent le gros Georges et André.

" Bravo, Jacques ! Bravo, Pierre ! "

Les deux nageurs touchent la margelle exactement à la même seconde ! Les trois amis battent des mains. " Bien nagé, tous deux, bien nagé ! Vous avez gagné, tous les deux ! "

Jacques et Pierre sortent de l'eau, riants, essoufflés. Le gros Georges leur applique une bonne claque sur l'épaule. " Ça, ça s'appelle un match ! Et maintenant rentrons ; il est déjà quatre heures, et j'ai une faim de loup, moi."

VI

Exercice I. (Exemple : — entrée — piscine. *L'entrée de la* piscine) : 1. — entrée — piscine. 2. — maillot — nageur. 3. — bord — mer. 4. — rapidité — flèche. 5. — longueur — course. 6. — guichet — bureau. 7. — vestiaire — lycée. 8. — direction — rue. 9. — heure — leçon. 10. — profondeur — eau.

Exercice II. Écrivez au passé composé (Exemple : Je gagne le match que je fais. J'*ai gagné* le match que j'*ai fait*) : 1. Je gagne le match que je fais. 2. Les deux nageurs partent à la même seconde. 3. Elle tombe à l'eau de la piscine. 4. Le crawl qu'il apprend est très bon. 5. Ils restent trop longtemps dans l'eau. 6. Il bat des mains. 7. Nous allons ensemble à l'école de natation. 8. Le voyez-vous ? 9. Ils montent sur le tremplin. 10. Ils sortent de l'eau, essoufflés. (pp. 254-5.)

Exercice III. Écrivez le participe présent, le participe passé, la 1ère personne du singulier et du pluriel du présent de l'indicatif, la 1ère personne du passé composé et la 1ère personne du futur de (Exemple : Demeurer. *Demeurant. Demeuré. Je demeure. Nous demeurons. J'ai demeuré. Je demeurerai*) : demeurer ; boire ; être ; aller ; saisir ; mettre ; apprendre ; sortir ; préférer ; réunir.

Exercice IV.

1. Nager. L'homme qui nage = *Le nageur.* Faites sur ce modèle des substantifs avec : nager ; plonger ; porter ; marcher ; penser ; chauffer ; chasser ; sauver ; jouer ; acheter.

Écrivez des phrases en employant chacun des substantifs ainsi formés (Exemple : *Le Capitaine Webb a été un nageur célèbre*).

2. Profond, *f.* Profonde. *La profondeur.* Faites sur ce modèle des substantifs avec : profond ; long ; haut ; grand ; blanc ; rouge ; large ; gros ; pâle ; roux.

Écrivez des phrases avec chacun des substantifs ainsi formés (Exemple : *Quelle est la profondeur de l'eau à ce bout de la piscine ?*).

(N.B. Attention au genre des deux types de substantifs.)

Exercice V. Dans les phrases suivantes, remplacez les substantifs par des pronoms (Exemple : Les amis prennent leurs billets. *Ils les* prennent) : 1. Les amis prennent leurs billets. 2. Paul donne son maillot à son ami. 3. Le professeur me donne des leçons. 4. Ma mère offre du thé à ses amies. 5. André a donné le signal à ses camarades. 6. Portez cette lettre à Madame. 7. Ma sœur vous offre ces fleurs. 8. Ne donnez pas ce gâteau à l'enfant ! 9. Le marchand des quatre saisons vend des légumes aux familles. 10. Il vous donne son billet. (pp. 243-5.)

Exercice VI. Écrivez à la forme interrogative : 1. Il nage bien. 2. L'eau est profonde. 3. Vous ne l'avez pas remarqué. 4. La course n'a pas été très rapide. 5. Vous vous êtes baigné à trois heures. 6. Les deux nageurs ont touché la margelle à la même seconde. 7. Elle ne s'est pas tenue sur la place. 8. Le gros Georges monte sur le tremplin. (pp. 255-6.)

Exercice VII. Répondez :

1. Êtes-vous jamais allé au bord de la mer ?
2. Savez-vous plonger ?
3. Y a-t-il une piscine dans votre lycée ?
4. De quelle profondeur est l'eau de cette piscine ?

5. De quelle hauteur est la salle de classe ?
6. Mesurez la hauteur et la largeur de la porte et des fenêtres de la salle de classe.
7. Fait-il froid aujourd'hui ?
8. Qu'est-ce qu'un poisson ?
9. Quand avez-vous " une faim de loup " ?
10. Nommez une personne qui a passé la Manche à la nage.

Exercice VIII. Écrivez les dimensions de ces rues (longueur — largeur) (p. 269) :

10 m.
500 m.
12 m.
750 m.

de cette place :

42 m.
87 m.

et de ces maisons (hauteur-largeur) :

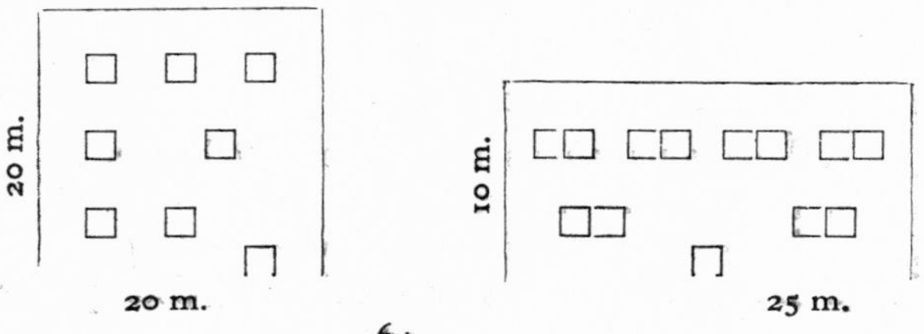

Exercice IX. Sujet de composition :

Une après-midi d'été

1. Départ de la ferme où vous passez le mois d'août. Vos compagnons.
2. Sentier qui traverse les bois et les prés. Arrivée au bord de la rivière.
3. Vous plongez et nagez. — Aventure.
4. Goûter en plein air.
5. Rentrée à la ferme, le soir.

Exercice X. Apprenez par cœur :

1. Le vocabulaire suivant :

le guichet	la piscine
le billet	le maillot
une entrée	la serviette de bain
la grandeur	le vestiaire
la longueur	le tremplin
la hauteur	le plongeon
la largeur	le bord
s'habiller	la margelle
se déshabiller	faire la planche
plonger	faire le noyé
nager	sauver la vie à quelqu'un

2. La série suivante :

Je vais à l'école de natation.
J'ôte mes habits.
Je mets mon maillot.
Je monte sur le tremplin.
Je plonge dans la piscine.
Je fais le crawl.
Je fais la planche.
Je sors de l'eau.
Je mets mes habits.
Je sors de l'école de natation.
Je rentre à la maison pour goûter.

VII. LE GOUTER

MADAME LÉPINE. Et maintenant, venez tous goûter.

(*Elle passe dans la salle à manger, suivie de Paul et de Jacques. Bobette les y attend déjà.*)

JACQUES. Bonjour, Bobette. Vous allez bien ?

BOBETTE. Très bien, merci. Et vous, Jacques ? Paul nous a dit que vous aviez passé des vacances merveilleuses à la montagne.

PAUL. Oh, Bobette, il faut voir ses photos !

MME LÉPINE. Nous pourrons les voir tout à l'heure, peut-être. Mettons-nous à table.

PAUL. Toi, Bobette, tu as joué au tennis avec Solange, n'est-ce pas ? Qui de vous deux a gagné ?

BOBETTE. Oh ! c'est Solange ; cela va sans dire. Tu sais, Paul, comme elle joue bien, car elle t'a battu aussi une fois, et tu te crois assez fort au tennis. Mais j'ai gagné trois et même quatre jeux contre elle dans une partie ; ce n'est pas mal, n'est-ce pas, Jacques ?

JACQUES. En effet, c'est très bien, car Solange passe beaucoup de temps au tennis ; je l'y vois constamment. Elle doit être bien entraînée.

BOBETTE. Naturellement ; elle veut être vraiment forte. Solange est très sportive.

MME LÉPINE. Voulez-vous boire du thé, Jacques, ou du lait ?

JACQUES. Du lait, Madame, s'il vous plaît. J'en bois beaucoup plus maintenant qu'autrefois. J'en ai bu beaucoup à la montagne.

TOTO. Du lait pour moi aussi, Maman !

BOBETTE. Tu es sûr que tu ne veux pas de l'*eau*, Toto ?

(*Tout le monde rit. Toto ouvre de grands yeux innocents.*)

BOBETTE. Maman, veux-tu me donner du thé, s'il te plaît ? J'ai tellement soif ! Si tu en as, naturellement ?

MME LÉPINE. Mais oui, il y en a pour toi si tu veux, ma petite, mais du thé léger ; car le thé fort n'est pas bon pour les nerfs, tu sais. (*Elle prend une tasse et y verse du thé.*) Veux-tu du lait ou du citron ?

BOBETTE. Du citron, s'il te plaît, Maman, si tu en as ; c'est plus rafraîchissant.

MME LÉPINE. Bien. (*Elle coupe une tranche de citron et la passe avec le thé à Bobette.*)

PAUL. Mais, Jacques, tu ne manges rien. Veux-tu prendre un morceau de ce gâteau que Maman a fait ? C'est un gâteau au chocolat que j'aime beaucoup, moi ; je suis sûr que tu l'aimeras aussi.

JACQUES. Merci bien. Mais quel gros morceau tu m'as coupé ! Vraiment j'ai honte. . . .

MME LÉPINE. Prenez-le, Jacques, ce gâteau est très léger ; j'en donne même à Toto.

TOTO. Du gâteau pour moi, Maman, s'il te plaît !

JACQUES. En effet, il est excellent, ce gâteau ; il est délicieux. Je vous en fais mes compliments, Madame !

MME LÉPINE (*sourit*). Merci, Jacques. Et toi, Bobette ?

BOBETTE. Tout à l'heure, Maman, merci. J'ai si soif que je ne suis pas encore capable d'avaler le plus petit morceau.

PAUL. Même une de ces tartes, Bobette ? (*Il lui offre des tartes aux fruits.*)

BOBETTE. Oh, tu es rusé, Paul ; tu connais mes petites faiblesses ! (*Elle en prend une, qui est à l'ananas.*) Elles sont vraiment délicieuses, ces tartes ; ne voulez-vous pas en goûter, Jacques ?

JACQUES. Merci beaucoup, je veux bien. (*Il en prend une.*) Elles sont délicieuses.

Paul. Elles ne sont pas assez sucrées pour moi. Je préfère le gâteau de Maman.

Bobette. Pas moi ! Mais, Maman, écoute. Solange m'a dit qu'on donne " Le Voyage de Monsieur Perrichon " jeudi prochain à l'Odéon. Tu me permettras d'y aller, n'est-ce pas ?

Mme Lépine. Demande à ton père, ma petite. Mais Jacques, c'est votre affaire, cette pièce ! Il vous faut aller la voir.

Jacques. En effet, Madame.

Bobette. Pourquoi, Maman ?

Mme Lépine. C'est que le héros, Monsieur Perrichon, veut traverser un glacier afin de courir un grand risque et de faire preuve de grand courage. Mais il vous faut voir la pièce ! C'est très amusant.

Paul. Pouvons-nous y aller ensemble, tous les trois ?

Bobette (*bat des mains*). Quelle bonne idée, Paul ! Avec Solange, naturellement.

Mme Lépine. Eh bien, nous verrons. Nous vous le ferons dire plus tard, Jacques. Peut-être que Monsieur Lépine prendra les places.

Bobette. Oh oui, Papa fera cela ! J'en suis sûre.

PAUL. Si tu le lui demandes, Bobette. Tu sais que Papa n'a rien à te refuser.

BOBETTE. Nigaud ! Mais je veux bien. Je ferai la demande ce soir.

PAUL. Choisis bien ton moment, Bobette.

BOBETTE. Oh oui, ce sera quand Papa sera installé dans son fauteuil avec sa pipe et son journal du soir.

PAUL. Elle est rusée, n'est-ce pas, Jacques !

JACQUES. Non pas exactement rusée ; disons plutôt pleine de tact !

BOBETTE. Merci, Jacques. Eh bien, nous verrons plus tard le succès de mon petit stratagème. Maman, veux-tu m'excuser ? Nous avons beaucoup de devoirs ce soir, et puis j'ai aussi mon piano ! Au revoir, Jacques. A jeudi prochain. (*Tout le monde rit.*)

VII

Exercice I. Dans les phrases suivantes, remplacez les mots masculins par des mots féminins et faites tous les changements nécessaires : 1. Ce monsieur est très sportif. 2. Cet homme furieux est fou. 3. Il n'est pas bien gentil. 4. Ce manteau bleu est plus long que le blanc. 5. Tous ces garçons sont très vigoureux. 6. Il est plus doux que son frère. (pp. 237-8.)

Exercice II. Écrivez en toutes lettres, additionnez et donnez le total :

1. 16, 21, 75, 94.
2. 100, 200, 365.
3. 75·5 km., 41·8 km., 15·6 km.
4. 25 fr. 50, 30 fr. 75, 9 fr. 10. (pp. 270, 268.)

Exercice III. Écrivez au passé composé : 1. Elle arrive devant l'appartement. 2. Le glacier que je vois à la montagne est superbe. 3. Il va à l'Odéon. 4. Vous partez déjà ! 5. Il ne fait pas son devoir. 6. Le billet que je perds est important. 7. Ils partent à neuf heures. 8. Elles arrivent jeudi soir. 9. Elle appelle son petit frère. 10. Nous commençons à goûter. (pp. 254-5.)

Exercice IV. Répondez :

1. Où avez-vous passé les vacances, à la montagne ou au bord de la mer ?
2. A quelle heure se met-on à table ?
3. Jouez-vous au tennis ?
4. Êtes-vous sportif ?
5. Aimez-vous les gâteaux au chocolat ?
6. Quelle est la différence entre un morceau et une pièce ?

7. Nommez des fruits.
8. Préférez-vous le thé fort ou le thé léger ?
9. Qu'est-ce qu'un fauteuil ?
10. Est-ce que votre père fume ? Que fume-t-il ?

Exercice V. Dans les phrases suivantes, insérez *ne . . . plus*, *ne . . . rien* ou *ne . . . jamais*, et faites des changements, si c'est nécessaire : 1. Nous pouvons voir le soleil, il est couché. 2. Vous mangez de tout. 3. Il y a un homme dans la rue. 4. Elle t'a battu une fois. 5. J'ai été fou. 6. Les élèves sont entraînés ; c'est aujourd'hui le 26 décembre. 7. Veux-tu boire ? 8. Elle est là ; il est déjà quatre heures. (pp. 251-2.)

Exercice VI. Formez des adverbes avec (Exemple : grand > grande > *grandement*) : grand, long, doux, naturel, heureux, vrai, triste, bon, vif, gai. (p. 250.)

Exercice VII. Remplacez les substantifs par des pronoms personnels (Exemple : Il voit son ami dans la rue. Il *l'y* voit) : 1. Il voit son ami dans la rue. 2. Donnez-moi de l'eau, s'il vous plaît. 3. Elle passe dans la salle à manger. 4. Voulez-vous boire du thé ? 5. Solange passe beaucoup de temps au tennis. 6. Papa sera installé dans son fauteuil. 7. Nous allons au théâtre. 8. Où y a-t-il du sucre ? 9. Elle a donné du thé à sa fille. 10. Nous passons du pain à nos amis. (pp. 244-5.)

Exercice VIII. Écrivez au futur : 1. Je vais au théâtre ce soir. 2. Il suit son ami. 3. Vous partez déjà ? 4. L'enfant dort bien ce soir. 5. Il arrive demain matin. 6. Je fais mon devoir ce soir. 7. Que dit-il à son père ? 8. Ils finissent leur devoir. 9. Je vois ma lettre sur la table. 10. Ils sont grands. (p. 252.)

Exercice IX. Écrivez au pluriel : 1. Donne-moi un morceau du gâteau, s'il te plaît. 2. Vois-tu ce bel enfant ? 3. Il me l'a dit. 4. L'œil de cet animal est vert. 5. Il finit l'exercice. 6. Il y a un écriteau au coin de la rue. 7. Elle lit un journal. 8. Qui est le héros de l'aventure ? 9. Es-tu le fils de mon ami ? 10. N'as-tu pas une bonne plume ? (pp. 238, 243.)

Exercice X. Sujet de composition :

Vous avez passé l'après-midi en plein air. Vous rentrez pour goûter. Toute la famille est assise autour de la table. Décrivez les différents membres de votre famille et racontez le dialogue pendant le goûter.

Séries à apprendre

1. Je m'assieds à table.
   Je coupe une tranche de pain.
   Je mets sur mon pain du beurre et de la confiture.
   Je passe ma tasse à ma mère.
   Je passe du pain à mon père.
   Je mange ma tartine.
   Je bois du thé (ou du lait)
   Je mange un gâteau.

2. A quatre heures j'entre dans une pâtisserie.
   Je prends sur une table une assiette et une fourchette.
   Je choisis deux gâteaux.
   Je m'assieds à une table.
   Je demande un verre d'eau fraîche.
   Je mange mes gâteaux.
   Je bois mon verre d'eau.
   Je vais à la caisse.
   Je paye mes gâteaux.
   Je sors de la pâtisserie.

VIII. L'AVENTURE DE JACQUES

Après le goûter, Paul demande à Jacques de montrer les belles photographies qu'il a faites à la montagne. On les admire.

" Vraiment, elles sont très bonnes," dit Madame Lépine. " Mais racontez-nous l'aventure dont Paul nous a parlé."

" Oh, oui, Jacques ; raconte-nous ton aventure," dit Paul.

" Eh bien," dit Jacques modestement. " Pour commencer par le commencement, nous sommes partis de l'hôtel à six heures du matin, sac au dos, avec nos gros souliers ferrés et chaudement vêtus, car à cette heure matinale il fait très froid à cette altitude."

" Qu'est-ce que tu portes à la main ? " demande Paul, en examinant la photo.

" C'est mon piolet, une sorte de bâton pointu qui a, à l'autre bout, une petite hache pour tailler des marches dans la glace."

" Et ton père ? C'est une corde qu'il porte au dos ? "

“ Oui, c’est une corde, et une corde solide. Tu sais, quand on traverse un glacier, ou quand on fait une ascension dangereuse, on s’encorde toujours, et alors, si un membre de la bande glisse ou tombe dans une crevasse, les autres peuvent l’en retirer. On avance comme cela, chacun attaché à la corde.”

“ Je comprends,” dit Paul. “ Continue.”

“ Eh bien, nous avons commencé par traverser des prés tout fleuris, puis nous sommes entrés dans les grands bois de sapins que tu vois ici, sur la photo. Puis nous avons commencé à grimper sérieusement, car la pente est très raide. Mais il fait frais dans les bois et on peut marcher assez vite.”

“ On ne s’arrête pas en route ? ” demande Paul.

“ Pas souvent. Moi, je m’arrête quelquefois pour cueillir quelques fraises des bois, car il y en a des quantités dans cette région, mais on ne doit pas s’attarder longtemps.

“ Vers onze heures et demie nous sommes sortis des bois et à midi nous avons déjeuné de sandwichs et de fruits, près du chalet du bonhomme dont je t’ai parlé, Paul, l’autre jour. Voici la photo, Madame.

“ Elle est très bien,” dit Madame Lépine.

“ N’est-ce pas, Maman ? ” dit Paul.

“ Puis nous avons continué à grimper, mais lentement, car la pente devient de plus en plus raide et quand il fait beau, l’après-midi, on a très chaud, malgré l’altitude.

“ Nous sommes arrivés, le soir, au refuge, à 2800 mètres d’altitude. Là on nous a donné une bonne soupe chaude et du jambon avec des œufs. On se couche bientôt après, car on part de là, le matin, à trois heures et demie.”

“ Mais pourquoi si tôt ? ” demande Paul.

“ Tu sais qu’une fois le soleil levé, les grands blocs de glace qu’on appelle ‘ séracs ’ se détachent souvent et écrasent les personnes qui veulent traverser le glacier. Alors on part de très bonne heure, quand il fait froid.”

“ Mais à cette heure il doit faire nuit ? ”

“ Bien sûr, mais on a le clair de lune ou bien on porte une lanterne à la main.

“ Et c’est comme ça que vous avez traversé le glacier ? ”

“ Oui, et puis nous avons fait l’ascension du pic dont je t’ai parlé, Paul. C’est magnifique, tu sais ! Nous avons eu une vue superbe sur tout le pays, car juste à ce moment-là, quand le soleil, se lève, tout est clair. Plus tard, quand il fait chaud, le brouillard se lève au-dessus des vallées et on n’a plus cette vue admirable.”

“ Et ton aventure ? ” demande Paul.

“ J’y arrive ! Nous nous encordons pour la descente ; nous avançons avec précaution quand, tout à coup nous entendons, au-dessus de nous, des craquements comme des coups de tonnerre. Et voilà, tout près de nous, de gros blocs de glace blanche qui descendent la pente et puis tout un flot de neige qui glisse et coule et descend la pente avec une rapidité terrible et tombe enfin sur le glacier à des centaines de mètres en dessous. Nous restons là, sur la pente, glacés de terreur. Au bout de vingt minutes nous avons eu le courage de continuer la descente."

" C'est bien ça qu'on appelle une avalanche ? " demande Paul, les yeux pleins d'effroi.

" Oui," répond Jacques gravement.

" Quelle horreur ! " dit Madame Lépine. " C'est épouvantable, mon pauvre Jacques. Quel terrible danger vous avez couru ! "

" Tu l'as échappé belle, Jacques," dit Paul. " Mais quelle aventure ! Je t'envie, tu sais. Ce doit être beau, de faire des ascensions si dangereuses ! "

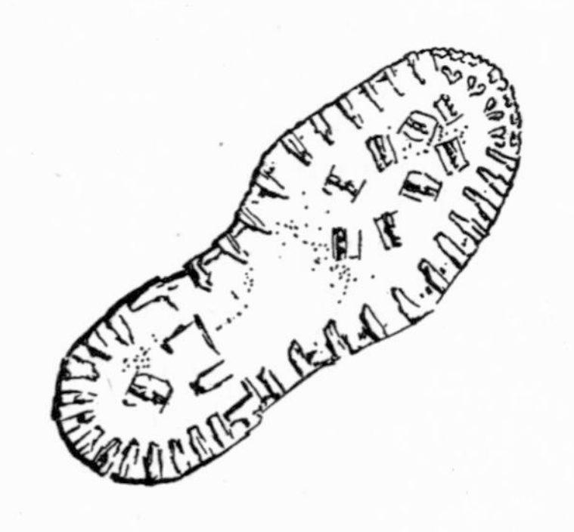

VIII

Exercice I. (Exemple : — altitude — refuge. *L'*altitude *du* refuge) : 1. — altitude — refuge. 2. — piolet — alpiniste. 3. — marche — escalier. 4. — jambon — sandwich. 5. — clair — lune. 6. — bruit — coup de tonnerre. 7. — brouillard — vallée. 8. — descente — montagne. 9. — pente — glacier. 10. — craquement — bloc de glace.

Exercice II. Dans les phrases suivantes, remplacez le tiret par la forme correcte de *Qu'est-ce qui* ou *Qu'est-ce que* : 1. — vous avez vu ? 2. — est arrivé ? 3. — il veut ? 4. — a fait ce craquement ? 5. — se détache quand le soleil tombe sur un glacier ? 6. — on voit quand on fait une grande ascension ? 7. — on porte quand on traverse un glacier ? 8. — coule dans une profonde vallée ? (pp. 247-8.)

Exercice III. Écrivez au pluriel : 1. Cet animal a l'œil sauvage ; je ne l'aime pas. 2. Je crois que mon ami va faire une ascension. 3. Il est parti, portant dans son sac un sandwich, un bel œuf et une pomme mûre. 4. J'ai donné un piolet à l'ami de mon frère. 5. Il m'a déjà raconté son aventure. 6. Ce vieil oncle donne un bonbon à son petit neveu. 7. Quand vas-tu faire ton devoir ? 8. Il se lève de bonne heure. 9. Comment appelles-tu le bloc de neige d'un glacier ? 10. Cette petite fille rit quand elle voit l'eau de la cascade. (pp. 238, 240.)

Exercice IV. Écrivez au pluriel : 1. Tu dis ; tu ris ; tu vois ; tu vas ; tu veux ; tu fais ; tu sais ; tu mets ; tu crois ; tu dois.

2. Je mange ; je commence ; j'appelle ; je bondis ; je mets ; je me lève ; je pars ; je m'assieds ; je tiens ; je crois.

3. Écrivez 1 et 2 au futur.

4. Écrivez 1 et 2 au passé composé. (pp. 256-65.)

Exercice V. 1. Formez des substantifs avec (Exemple : Porter. *Le porteur*) : porter ; chanter ; tailler ; travailler ; jouer ; marcher ; voyager ; chasser.

(Remarquez que ces substantifs sont masculins et indiquent l'homme qui fait l'action indiquée par le verbe.)

2. Formez des substantifs avec (Exemple : Animer. *L'animation*) : animer ; confirmer ; exclamer ; récréer ; vociférer ; détester ; multiplier ; expliquer.

(Remarquez que tous ces substantifs sont féminins.)

Exercice VI. Dans les phrases suivantes, remplacez les substantifs par des pronoms : 1. Voulez-vous me montrer vos photos ? 2. Il parle à ses amis de son aventure. 3. Jacques trouve un piolet sur le glacier. 4. Mon père porte une corde au dos. 5. Que ferez-vous si un ami tombe dans la crevasse ? 6. Voulez-vous passer cette assiette à votre ami ? 7. On ne doit pas cueillir ces fleurs. 8. Nous sommes sortis du bois. 9. Que donnez-vous à votre mère ? 10. Ne voyez-vous pas la lune ? 11. La mère prend sur la table un couteau et une fourchette. 12. Où Jacques a-t-il acheté ce beau gâteau ? (pp. 243-6.)

Exercice VII. Conjuguez complètement :

1. Je me lève de ma place.
2. Je m'en vais faire mon devoir.
3. Je mange une grosse poire.
4. Puis-je partir de bonne heure ? (p. 241.)

Exercice VIII. Répondez :

1. Qu'est-ce qu'une avalanche ?
2. Où trouve-t-on des glaciers ?
3. Que porte-t-on quand on traverse un glacier ?
4. Qu'est-ce qu'un refuge ?
5. Quelle est la hauteur, en mètres, de la plus haute montagne de l'Angleterre ?

6. En quelle saison les brouillards arrivent-ils d'habitude en Angleterre ?
7. Que portez-vous dans votre sac quand vous faites une excursion ?
8. Vous levez-vous de bonne heure ?

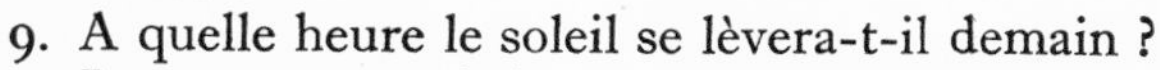

9. A quelle heure le soleil se lèvera-t-il demain ?
10. Les torrents qui descendent des glaciers sont plus gros le soir que le matin. Pourquoi ?

Exercice IX. Sujets de composition :

1. Racontez une aventure à la montagne.
2. Dialogue au sujet d'une photographie que votre ami(e) vous montre.
3. Deux paragraphes de 10-12 lignes pour comparer les montagnes de l'Angleterre aux Alpes françaises.
4. Combinez un bon repas. (p. 279.)

Exercice X. Apprenez par cœur :

1. Le vocabulaire suivant :

le pic	la pente
le glacier	la glace
le bloc de glace	la marche
le sérac	la crevasse
le guide	la corde
le piolet	la hache
le bâton pointu	la vue
le sac	la descente
le soulier ferré	la détonation
le brouillard	grimper
le craquement	monter
le coup de tonnerre	tailler
le refuge	descendre
le jambon	se détacher
un œuf	écraser
une ascension	l'échapper belle

2. La série suivante :

Je mets mes gros souliers.
Je prépare mon rucksac.
Je prends mon piolet.
Je pars de l'hôtel.
Je traverse des prés et des bois.

Je grimpe sur la pente de la montagne.
J'arrive au glacier.
Je traverse le glacier.
Je regarde les crevasses et les séracs.
Je continue mon ascension.
J'arrive au sommet.
Bravo !

IX. AU THÉATRE

I

(*Scène. L'appartement de la famille Lépine. Paul ouvre la porte d'entrée pour faire entrer son ami Jacques.*)

PAUL. Bonjour, Jacques ; tu arrives à temps ; c'est bien, ça. Entre donc un instant. Bobette va venir. (*Il l'appelle.*) Bobette, voici Jacques. Tu es prête, j'espère ? Il est déjà deux heures, tu sais.

BOBETTE (*arrive en courant*). Mais oui, je suis prête. Bonjour, Jacques. Vous voyez, notre stratagème a réussi. Papa a été très gentil ; voici les billets : il les a pris pour tous les quatre.

JACQUES. C'est très aimable, en effet. Combien vous dois-je alors ?

PAUL. Oh, nous réglerons ça après, si tu veux bien, car il y a encore l'ouvreuse et le programme.

JACQUES. Bien, ce sera comme vous voudrez. Et Solange ? Où est-elle ?

Bobette. Elle nous rejoindra devant le théâtre ; elle vient de téléphoner à Maman.

Paul. Alors, en route, tous ! Au revoir, Maman.

Bobette. Au revoir, Maman, à ce soir.

Jacques. Au revoir, Madame, et merci.

II

(*Devant l'Odéon. Solange est là qui les attend.*)

Bobette (*s'élance*). Bonjour, Solange. Tu nous as attendus longtemps ? Que je suis contente de te voir ! Tu es bien gentille d'être venue.

Solange. Au contraire, c'est toi qui as été bien gentille de m'avoir invitée. " Le Voyage de M. Perrichon " est tellement amusant qu'on a toujours plaisir à le revoir.

Bobette. Tu connais la pièce déjà ?

Solange. Oui, je l'ai vue il y a deux ans, mais je l'ai presque oubliée. Je sais seulement que j'ai ri aux éclats.

Paul. Venez donc, vous deux ; vous pourrez bavarder après. Nous allons entrer prendre nos places.

III

(Dans le théâtre. Paul, Bobette, Jacques et Solange entrent.)

L'OUVREUSE (*s'avance*). Vous avez vos billets, Monsieur ?

PAUL (*très digne*). Oui, Madame, les voici. Nous avons les numéros de 1 à 4 qui se suivent, au 8e rang du parterre.

L'OUVREUSE (*prend les billets, l'air très important*). Voici, Monsieur. (*Elle lui montre les places qu'il a déjà trouvées.*) Vous voulez des jumelles, peut-être ?

PAUL. Non, merci, nous n'en avons pas besoin. (*Il lui donne son pourboire. L'ouvreuse l'empoche et s'éloigne, sans dire merci.*)

BOBETTE. Quel air de princesse, n'est-ce pas, Solange ?

SOLANGE. Elles sont toujours comme ça. Vraiment ces femmes sont impossibles !

UNE VOIX. Oranges ! Pastilles à la menthe ! Oranges ! Oranges ! Pastilles ! Bonbons ! Chocolat glacé !

JACQUES. Attendez-moi. (*Il quitte sa place et revient au bout de deux minutes avec une boîte de bonbons.*) Permettez-moi, Mesdemoiselles, de vous offrir quelques bonbons.

BOBETTE. Oh merci beaucoup, Jacques, merci infiniment. Quelle magnifique boîte ! Vraiment, vous êtes trop bon.

SOLANGE (*murmure*). Très gentil, très aimable— Merci, Jacques.

PAUL. En attendant, j'ai trouvé un programme. Un seul suffit pour nous quatre, n'est-ce pas ?

JACQUES. Oh, oui, nous voulons simplement voir qui joue Perrichon ; c'est le rôle le plus important. C'est de lui que dépend tout le succès de la pièce. Ah, c'est Destouches ; tant mieux, on dit qu'il est superbe dans ce rôle.

PAUL. Quelle chance ! Mais chut !

(*A ce moment, on frappe les trois coups qui, dans un théâtre français, annoncent toujours le commencement de la représentation. Le rideau se lève lentement.*)

" Le Voyage de Monsieur Perrichon " est une œuvre de deux auteurs dramatiques du XIXe siècle, E.-M. Labiche et E. Martin, qui ont souvent collaboré. Les comédies qu'ils nous ont laissées sont bien amusantes ; les plus célèbres sont, avec " Le Voyage de M. Perrichon," " La Poudre aux Yeux," " La Cagnotte " et " La Grammaire."

M. Perrichon est un bon bourgeois de Paris dont le défaut principal est la vanité. Au moment où se passe la première scène que nous allons lire, il part pour son " voyage " avec sa femme et sa fille, Henriette. La famille sera suivie en Savoie par deux jeunes gens, Armand Desroches et Daniel Savary, qui, épris d'Henriette, tâchent de plaire à Monsieur Perrichon pour gagner la main de la jeune fille.

Scène I

(*Une gare. Chemin de fer de Lyon, à Paris. Au fond, barrière ouvrant sur les salles d'attente. A droite, guichet pour les billets. A gauche, bancs. Perrichon, Mme Perrichon et Henriette entrent.*)

PERRICHON. Par ici ! . . . ne me quittez pas ! . . . Où sont nos bagages ? . . . Ah ! très bien ! Qui est-ce qui a les parapluies ? . . .

HENRIETTE. Moi, Papa.

PERRICHON. Et le sac de voyage ? . . . les manteaux ? . . .

MME PERRICHON. Les voici !

PERRICHON. Et mon panama ? . . . Il est resté dans le fiacre ! . . . Ah ! non ! je l'ai à la main ! . . . Dieu, que j'ai chaud !

MME PERRICHON. C'est ta faute ! . . . tu nous presses, tu nous bouscules ! . . . je n'aime pas à voyager comme ça !

PERRICHON. C'est le départ qui est laborieux ! Une fois que nous serons partis ! . . . Restez-là, je vais prendre les billets. . . . (*Donnant son chapeau à Henriette.*) Tiens, garde-moi mon panama. . . . (*Au guichet.*) Trois premières pour Lyon !

L'EMPLOYÉ (*brusquement*). Ce n'est pas ouvert ! Dans un quart d'heure !

PERRICHON. Ah ! Pardon ! C'est la première fois que je voyage. . . . (*A sa femme.*) Nous sommes en avance.

MME PERRICHON. Là ! Et tu ne nous as pas laissées déjeuner !

PERRICHON. J'aime être en avance. On examine la gare. (*A Henriette.*) Eh bien, petite fille, es-tu contente ? . . . Nous voilà partis ! . . . Encore quelques minutes et, rapides comme la flèche de Guillaume Tell, nous nous élancerons vers les Alpes ! (*Tirant de sa poche un petit carnet.*) Tiens, ma fille, voici un carnet que j'ai acheté pour toi.

HENRIETTE. Pourquoi faire ?

PERRICHON. Pour écrire d'un côté la dépense et de l'autre les impressions.

HENRIETTE. Quelles impressions ?

PERRICHON. Nos impressions de voyage ! Tu écriras, et moi je dicterai.

UN PORTEUR (*poussant un petit chariot chargé de bagages*). Attention ! (*A Monsieur Perrichon.*) Monsieur, voici vos bagages.

PERRICHON. Ah, je vais les compter. Un, deux, trois, quatre, cinq, six, ma femme, sept, ma fille, huit, et moi, neuf. Nous sommes neuf. Vite ! (*Il court vers le fond.*)

LE PORTEUR. Pas par là, c'est par ici !

PERRICHON. Un instant . . . Henriette, prends ton carnet et écris. Dépenses : fiacre, deux francs . . . billets, cent soixante-douze francs, cinq centimes . . . porteur, un franc.

HENRIETTE. C'est fait.

PERRICHON. Attends ! Impression !

MME PERRICHON (*à part*). Il est insupportable !

PERRICHON (*dictant*). Adieu, France . . . reine des nations ! . . . Eh bien ! Et mon panama ? . . .

MME PERRICHON. Le voici !

PERRICHON (*dictant*). Adieu, France, reine des nations !

(*On entend une cloche. Tout le monde sort en courant.*)

IX

Exercice I. Écrivez en toutes lettres :

(1) 5, 16, 21, 71, 80, 96, 101, 800.
Additionnez et écrivez le total. (p. 270.)
(2) les dates suivantes : 1.i.1900; 16.viii.1878; 25.xii.1937; 17.vii.1894; 31.ii.1904. (p. 267.)

Exercice II. Écrivez au passé composé, en faisant bien attention à l'accord du participe passé : 1. Elle arrive à temps. 2. Ils partent ce soir. 3. Elle va au théâtre. 4. Tu es prête, j'espère ? 5. On frappe les trois coups. 6. Tu la regardes. 7. La pièce que je vois est amusante. 8. Les bonbons que je vous donne sont excellents. 9. Combien vous dois-je ? 10. Il nous laisse des pièces. (pp. 254-5.)

Exercice III. Vous faites des emplettes :

1. 200 gm. de bonbons à 1 fr. 50 les cent gm.
   2 tablettes de chocolat à 1 fr. 75 la tablette.
   ½ kilo de prunes à 4 fr. 50 le kilo.
2. 10 timbres de 90 ct.
   5 timbres de 50 ct.
   4 timbres à 1 fr. 50.
3. 2 kilos de carrottes à 1 fr. le kilo.
   2 choux-fleurs à 18 sous pièce.

Faites les trois additions. Votre mère vous a donné un billet de 50 francs. Combien lui rendez-vous ? (p. 268.)

Exercice IV. Écrivez au futur :

je règle, je suis, je veux, je peux, je vais, je fais, je pars, je finis, j'ouvre, je vis ; il peut, il est, il a, il doit, il met, il va, il suit, il lève, il appelle, il rejoint.

Exercice V. Dans les phrases suivantes, remplacez les substantifs par des pronoms personnels : 1. L'ouvreuse montre leurs places aux enfants. 2. Jacques offre des bonbons aux jeunes filles. 3. Prends ton carnet ! 4. Paul ouvre la porte pour faire entrer son ami. 5. Henriette n'a pas d'impressions. 6. Ne quittez pas votre père. 7. Solange attend Bobette à l'entrée. 8. Papa a pris les billets. 9. Toto ne va pas au théâtre. 10. Donnez-moi mon panama. (pp. 243-5.)

Exercice VI. Formez des adverbes avec : simple, infini, doux, vrai, long, rapide, fier, lent, sec, chaud. (p. 250.)

Exercice VII. Écrivez au singulier : 1. Voulez-vous donner les billets aux ouvreuses ? 2. Nous croyons qu'ils vont arriver. 3. Ils sont partis. 4. Les enfants n'ont pas de bonbons. 5. Ces jeunes gens les ont suivies. 6. Elles ne savent plus où trouver leurs vieux amis. 7. D'où venez-vous, mes enfants ? 8. Les pères ont donné des carnets à leurs enfants. 9. Quelles impressions avez-vous de vos voyages ? 10. Les porteurs demandent un pourboire aux voyageurs. (pp. 238, 240.)

Exercice VIII. Remplacez les tirets par la forme qui convient (Qui est-ce qui ? Qui est-ce que ? Qu'est-ce qui ? Qu'est-ce que ?) : 1. — vous voulez manger ? 2. — est parti ce matin ? 3. — vous avez attendu à l'entrée ? 4. — a rendu l'enfant malade ? 5. — vous dites ? 6. — va faire un voyage ? 7. — vous faites là ? 8. — tombe du ciel ? (pp. 247-8.)

Exercice IX. Répondez aux questions :

1. Êtes-vous jamais allé au théâtre ?
2. Qu'est-ce que vous avez vu ?
3. Qui a joué le rôle principal ?
4. Qu'est-ce qu'une ouvreuse ?
5. Avez-vous un carnet dans votre poche ?
6. Qu'est-ce que vous écrivez dans votre carnet ?
7. Dans quels pays sont les Alpes ?
8. Quand faites-vous un voyage ?
9. Avec qui voyagez-vous ?
10. Sur quelles rivières Lyon est-il situé ?

Exercice X. Sujets de composition :

1. Un voyage.

Préparatifs pour le départ — Le départ de la maison — L'arrivée à la gare — Le voyage — L'arrivée à la destination. (p. 281.)

2. Au théâtre.

Préparatifs — Arrivée au théâtre — La pièce — Vos impressions. (p. 280.)

Série à apprendre

Je vais faire un voyage.
Je fais mes paquets.
J'appelle un taxi.
J'arrive à la gare.
Je paye le taxi.
J'appelle un porteur.
Je prends mon billet au guichet.
J'achète un journal et un livre.
Je trouve une place libre dans un compartiment.
Je donne un pourboire au porteur.
Je commence le voyage.

X. M. PERRICHON, ALPINISTE

La Mer de Glace est le nom donné à un des immenses glaciers qui, tels de grandes rivières blanches, descendent des pentes du Mont Blanc. Le Montanvert domine la partie de la Mer de Glace qui présente une surface lisse et sans crevasses. C'est pourquoi on y a construit une auberge où les touristes viennent boire et manger avant de traverser le glacier. Accompagné d'un guide on peut le traverser sans danger, car il n'y a que quelques crevasses qu'on peut facilement éviter ou contourner. C'est une promenade très intéressante à faire.

Mais pour M. Perrichon c'est un exploit formidable dont il sera très fier. Le sentier qui mène de Chamonix au Montanvert monte en pente très raide ; M. Perrichon a donc eu l'idée d'y monter à cheval, mais, comme il n'est pas bon cavalier, il a eu un " accident."

Scène II

(*Scène. Un intérieur d'auberge au Montanvert, près de la Mer de Glace. Au fond une fenêtre ; vue de montagnes couvertes de neige ; table, chaises. Daniel, assis à déjeuner ; l'aubergiste le sert. Cris et tumulte en dehors.*)

L'AUBERGISTE. Ah ! mon Dieu !

DANIEL. Qu'y a-t-il ?

(*Perrichon entre, soutenu par sa femme et le guide, suivi d'Armand et d'Henriette.*)

ARMAND. Vite, de l'eau ! du sel ! du vinaigre !

DANIEL. Qu'est-il donc arrivé ?

HENRIETTE. Mon père a manqué de se tuer !

DANIEL. Est-il possible ?

PERRICHON (*assis*). Ma femme ! . . . ma fille ! . . . Ah, je me sens mieux ! . . .

HENRIETTE (*lui présentant un verre d'eau sucrée*). Tiens ! . . . bois ! . . . ça te remettra . . .

PERRICHON. Merci . . . Quelle culbute ! (*Il boit*).

MME PERRICHON. C'est ta faute aussi . . . vouloir monter à cheval, un père de famille . . . et avec des éperons encore !

PERRICHON. Les éperons ! C'est la bête qui est ombrageuse.

MME PERRICHON. Tu l'as piqué sans le vouloir — elle s'est cabrée . . .

HENRIETTE. Et sans Monsieur Armand qui est arrivé . . . mon père disparaît dans un précipice. . . .

MME PERRICHON. Je l'ai vu rouler comme une boule . . . j'ai poussé des cris !

HENRIETTE. Alors, monsieur s'est élancé !

MME PERRICHON. Avec un courage, un sang-froid ! . . . Vous êtes notre sauveur . . . car sans vous mon mari . . . mon pauvre mari . . . (*Elle éclate en sanglots.*)

ARMAND. Il n'y a plus de danger . . . calmez-vous !

MME PERRICHON (*pleurant toujours*). Non ! Ça me fait du bien. (*A son mari.*) Ça t'apprendra à mettre des éperons. (*Sanglotant plus fort.*) Tu n'aimes pas ta famille.

HENRIETTE (*à Armand*). Permettez-moi d'ajouter mes remercîments ; je garderai toute ma vie le souvenir de cette journée . . . toute ma vie ! . . .

ARMAND. Ah ! Mademoiselle !

PERRICHON (*à part*). A mon tour ! Monsieur Armand ! — Non, laissez-moi vous appeler Armand !

ARMAND. Comment donc !

PERRICHON. Armand, donnez-moi la main. Je ne sais pas faire des phrases, moi, mais, tant qu'il battra, vous aurez une place dans le cœur de Perrichon. (*Lui serrant la main.*) Je ne vous dis que cela !

MME PERRICHON. Merci, Monsieur Armand.

HENRIETTE. Merci, Monsieur Armand.

ARMAND. Mademoiselle Henriette !

MME PERRICHON (*à son mari*). Viens te reposer un moment : au revoir, Monsieur Armand.

HENRIETTE. Au revoir, Monsieur Armand.

PERRICHON (*serrant énergiquement la main d'Armand*). A bientôt . . . Armand ! (*Poussant un cri.*) Aïe ! . . .

TOUS. Quoi ?

PERRICHON. Rien ! . . . j'ai trop serré !

Armand paraît triompher, mais Daniel, qui est très rusé, a l'idée de faire semblant de tomber dans une crevasse. M. Perrichon se précipite pour le retirer du danger supposé et ils reviennent ensemble à l'auberge où Madame Perrichon les attend avec Armand et Henriette.

(*Cris et tumulte au dehors.*)

MME PERRICHON ET HENRIETTE. Ah ! mon Dieu !

ARMAND. Ces cris !

(*Daniel entre, soutenu par l'aubergiste et par le guide.*)

PERRICHON (*très ému*). Vite ! de l'eau ! du sel ! du vinaigre ! (*Il fait asseoir Daniel.*)

TOUS. Qu'y a-t-il ?

PERRICHON. Un événement affreux ! Faites-le boire, frottez-lui les tempes !

DANIEL. Merci. . . . Je me sens mieux.

ARMAND. Qu'est-il arrivé ?

DANIEL. Sans le courage de M. Perrichon . . .

PERRICHON (*vivement*). Non, pas vous. . . . Ne parlez pas ! . . . (*Racontant.*) C'est horrible ! . . . Nous sommes sur la Mer de Glace. . . . Le Mont Blanc nous regarde tranquille et majestueux. . . .

MME PERRICHON. Mais dépêche-toi donc !

HENRIETTE. Mon père !

PERRICHON. Un instant, que diable ! Nous suivons, pensifs, un sentier abrupt qui serpente entre deux crevasses . . . de glace ! Je marche le premier.

MME PERRICHON. Quelle imprudence !

PERRICHON. Tout à coup, j'entends derrière moi comme un coup de tonnerre ; je me retourne ; monsieur a disparu dans une de ces crevasses sans fond, dont la vue seule fait trembler. . . .

MME PERRICHON (*impatientée*). Mon ami !

PERRICHON. Alors, n'écoutant que mon courage, moi, père de famille, je m'élance.

MME PERRICHON ET HENRIETTE. Ciel !

PERRICHON. Sur le bord du précipice, je lui tends mon bâton ferré. . . . Il s'y cramponne. Je tire . . . il tire . . . nous tirons, et, après une lutte terrible, je le ramène à la face du soleil, notre père à tous ! (*Il s'essuie le front avec son mouchoir.*)

HENRIETTE. Oh ! Papa !

MME PERRICHON. Mon ami !

PERRICHON (*embrassant sa femme et sa fille*). Oui, mes enfants, c'est une belle page.

DANIEL (*se lève*). Monsieur Perrichon, vous avez rendu un fils à sa mère. . . .

PERRICHON (*majestueusement*). C'est vrai !

DANIEL. Un frère à sa sœur !

PERRICHON. Et un homme à la société.

DANIEL. Les paroles sont impuissantes pour reconnaître un tel service.

PERRICHON. C'est vrai !

DANIEL. Il n'y a que le cœur . . . entendez-vous, le cœur !

PERRICHON. Monsieur Daniel ! Non ! Laissez-moi vous appeler Daniel !

DANIEL. Comment donc ! (*A part.*) Chacun son tour !

PERRICHON (*ému*). Daniel, mon ami, mon enfant ! Votre main. (*Il lui prend la main.*) Je vous dois les plus douces émotions de ma vie. Vous me devez tout, tout ! (*Avec noblesse.*) Je ne l'oublierai jamais !

C'est Daniel qui triomphe ! Mais plus tard, M. Perrichon, caché derrière une porte, surprend Daniel qui explique à Armand comment il a triomphé en exploitant la vanité de son futur beau-père. Désillusionné, il donne sa fille à l'heureux Armand, le préféré d'Henriette elle-même. " Tout est bien qui finit bien."

X

Exercice I. (Exemple : — surface — Mer de Glace. *La* surface *de la* Mer de Glace) : 1. — surface — Mer de Glace. 2. — verre — guide. 3. — pente — sentier. 4. — éperon — cavalier. 5. — fond — précipice. 6. — tour — ami. 7. — vinaigre — aubergiste. 8. — vue — danger. 9. — face — soleil. 10. — vie — société.

Exercice II. Dans les phrases suivantes, remplacez les substantifs par des pronoms personnels (Exemple : M. Perrichon est allé à la Mer de Glace. *Il y* est allé) : 1. M. Perrichon est allé à la Mer de Glace. 2. Donnez du vinaigre à cet homme. 3. On peut éviter les crevasses. 4. Il a eu une idée. 5. Vous avez rendu un fils à sa mère. 6. Sur le bord du précipice je lui tends mon bâton ferré. 7. L'alpiniste a disparu dans la crevasse ! 8. Tu n'aimes pas ta famille. 9. Ne donnez pas d'éperons à M. Perrichon ! 10. Henriette présente un verre d'eau à son père. (pp. 243-5.)

Exercice III. Écrivez au négatif (Exemple : M. Perrichon aime les bêtes ombrageuses. M. Perrichon *n'*aime *pas* les bêtes ombrageuses) : 1. M. Perrichon aime les bêtes ombrageuses. 2. C'est ma faute. 3. Frottez-lui les tempes. 4. L'aubergiste offre du vinaigre aux alpinistes. 5. L'avez-vous vu tomber dans la crevasse ? 6. Nous y sommes montés à cheval. 7. Je me sens mieux. 8. Buvez beaucoup d'eau quand vous serez à la montagne. 9. Tombez dans une crevasse. 10. On y a construit une auberge. (pp. 251-2.)

Exercice IV. Écrivez au passé composé (Exemple : Elle va voir son père. Elle *est allée* voir son père) : 1. Elle va voir son père. 2. Est-il possible ? 3. Voici la dame que je vois rouler dans une crevasse. 4. Ils reviennent ensemble à l'auberge. 5. Il achète des bonbons au théâtre. 6. Je manque le train de 9 heures. 7. Où laissez-vous mon parapluie et mon panama ? 8. La comédie que je vois est amusante. 9. Je mets mes éperons pour monter à cheval. 10. Boit-il de l'eau sucrée ? (pp. 254-5.)

Exercice V. Répondez :

1. Comment est M. Perrichon ?
2. Nommez douze objets sur la table du déjeuner.
3. Serrez la main à l'élève qui est assis à côté de vous.
4. Qu'est-ce qu'une auberge ?
5. Où la Mer de Glace est-elle située ?
6. Pourquoi met-on des éperons ?
7. Quelle est la hauteur du Mont Blanc ?
8. Nommez les différentes parties de votre tête.
9. Que met-on pour traverser un glacier ?
10. Pourquoi n'y a-t-il pas de glaciers en Angleterre ?

Exercice VI. Changez les phrases suivantes pour y employer *on* (Exemple : La Mer de Glace est le nom donné à un glacier. *On a donné* à un glacier le nom de Mer de Glace) : 1. La Mer de Glace est le nom donné à un glacier. 2. Une auberge y a été construite. 3. Il est impossible de faire tout. 4. La fenêtre se ferme vite. 5. Les crevasses peuvent être évitées. 6. Les gens de la maison parlent français. 7. Les touristes mangent bien à cet hôtel. 8. Les oranges se vendent au théâtre. (p. 248.)

Exercice VII. Écrivez au futur : j'espère, je veux, je vais, je vois, je peux, j'ai, je suis, je dois, je dors, je jette ; il mène, il met, il connaît, il sait, il finit, il fait, il entre, il perd, il va, il bat. (pp. 256-65.)

Exercice VIII. Dans les phrases suivantes, remplacez le premier tiret par un adjectif, le second par un adverbe (Exemple : Ce père — marche —. Ce père *âgé* marche *lentement*) : 1. Ce père — marche. — 2. Le cheval — se cabre —. 3. Cet événement — est arrivé —. 4. Les dames — sourient —. 5. Ce monsieur — se hisse —. 6. Mon ami — tombe —. 7. Cet élève — travaille —. 8. Cette comédie — réussit —. 9. Cet enfant — crie —. 10. Cette rivière — coule —.

Exercice IX.

1. Apprenez, pour les jouer en classe, les deux scènes de " Monsieur Perrichon, alpiniste."
2. Sujet de composition :
   Des touristes arrivent à l'auberge juste au moment où M. Perrichon la quitte. L'aubergiste leur raconte l'accident.

Exercice X. Apprenez par cœur la série suivante :

Je mets mes gros souliers ferrés.
Je prends mon piolet.
Je descends sur le glacier.
Je contourne les séracs.
J'évite les crevasses.
Je manque de tomber dans un abîme sans fond.
Je traverse le glacier.
Je rentre à l'hôtel.
Je raconte mon aventure à mes amis.
Je me couche de bonne heure.

RÉVISION

Exercice I. (Exemple : — vestiaire — lycée. *Le* vestiaire *du* lycée) : 1. — vestiaire — lycée. 2. — direction — rue. 3. — arrêt — autobus. 4. — commencement — leçon. 5. — clair — lune. 6. — jambon — sandwich. 7. — sapin — forêt. 8. — lueur — lanterne. 9. — craquement — avalanche. 10. — héros — pièce. 11. — morceau — gâteau. 12. — journal — voyageur. 13. — faiblesse — enfant. 14. — fauteuil — père. 15. — parapluie — touriste. 16. — mouchoir — dame. 17. — intérieur — auberge. 18. — guichet — gare. 19. — comédie — auteur. 20. — rideau — salle à manger. (p. 242.)

Exercice II. Écrivez au singulier : nous jetons, nous nous élançons, nous espérons, nous buvons, nous mangeons, nous devenons, nous préférons ; vous venez, vous appelez, vous retenez, vous bâtissez, vous construisez, vous dites ; ils vont, ils rient, ils font, ils mettent, ils choisissent, ils battent, ils règlent. (pp. 256-65).

Exercice III. Dans les phrases suivantes, remplacez les substantifs par des pronoms personnels : 1. Ne quittez pas votre ami. 2. Le guide montre des crevasses aux touristes. 3. Suivez le guide. 4. Mon père a eu une grande aventure. 5. Donnez les éperons au cavalier. 6. Madame Perrichon ne veut pas traverser le glacier. 7. Mon bâton ferré est tombé dans la crevasse ! 8. On a frappé les trois coups. 9. Ne donnez pas de vin à l'enfant. 10. L'amoureux offre un beau cadeau à son amie. (pp. 243-5.)

Exercice IV. Faites les additions suivantes :

1. 2 paires de chaussettes à 14 fr. 50 ; 3 cravates à 15 fr. ; 6 mouchoirs à 7 fr. 50.
2. Au théâtre 4 billets à 45 fr. ; pourboire à l'ouvreuse, 4 fr. ; 2 programmes à 3 fr. ; 4 glaces à 4 fr.
3. En voyage. Taxi, 13 fr. 50 ; pourboire au chauffeur, 1 fr. 50 ; pourboire au porteur, 3 fr. ; billet, 198 fr. 75 ; journaux, 2 fr. 50 ; sandwich au jambon, 5 fr. ; fruits, 4 fr. 50 ; oreiller, 5 fr. (p. 268.)

Exercice V. Écrivez au masculin : 1. La grosse paysanne est gentille. 2. La marchande a une fille vigoureuse. 3. Cette enfant est heureuse. 4. La vieille dame aime arriver la première. 5. C'est mon ancienne et très chère amie. 6. Laquelle de ces deux casquettes préférez-vous ? 7. L'automobile est pleine de voyageuses. 8. La poule blanche suit la longue route. 9. Elle est folle, je crois ! 10. Cette élève est très sportive. (pp. 237, 242.)

Exercice VI. Répondez :

1. Savez-vous nager ?
2. Combien de longueurs pouvez-vous faire ?
3. Quel jour mange-t-on généralement du poisson ?
4. Fait-il beau aujourd'hui ?
5. A quelle heure goûtez-vous ?
6. Est-ce que votre mère aime le thé fort ?
7. Que mange-t-on à midi ? (p. 279.)
8. De quelle couleur est votre mouchoir ?
9. Qu'est-ce qu'une auberge ?
10. Aimez-vous vous baigner à l'eau chaude ?
11. Qu'est-ce qu'une avalanche ?

12. Combien de morceaux de sucre mettez-vous dans une tasse de thé ?
13. Nommez des fruits. (p. 282.)
14. Que faites-vous quand vous voulez faire une excursion ?
15. Portez-vous un carnet ?

Exercice VII. Écrivez au passé composé : 1. La bête que je vois est ombrageuse. 2. Nous marchons sur un glacier. 3. Elle tombe dans une crevasse. 4. Le voyage qu'il fait est très beau. 5. J'appelle un taxi. 6. Vous rendez un fils à sa mère. 7. Nous nous levons de bonne heure. 8. La vallée qu'il traverse est profonde. 9. Il mange un sandwich et boit un verre de vin. 10. Il se tient debout pendant des heures. (pp. 254-5.)

Exercice VIII. Donnez le contraire de : vide, vite, gauche, fort, se lever, la comédie, la lune, entrer dans, parler, bien, noir, prenez, s'habiller, jouer, il fait beau, sérieusement, se coucher tard, laborieux, ouvrir, descendre.

Exercice IX. Dans les phrases suivantes, remplacez les tirets par la forme convenable de *qui*, *que* ou *dont*. 1. Voici le mouchoir — vous avez perdu. 2. Je n'ai pas vu la pièce — vous parlez. 3. Donnez-moi un des trois parapluies — vous trouverez dans ma chambre. 4. Je vous rejoindrai dans la salle d'attente — est à droite de l'entrée. 5. Voici la jeune fille — je vous ai montré la photographie. 6. Où sont les billets — Papa a achetés ? 7. Le voilà — arrive en avance ! 8. Écrivez les dépenses dans le carnet — je t'ai donné. (p. 249.)

Exercice X. Mettez devant chacun des substantifs suivants la forme convenable de *quel*, *quelle*, et de *beau*, *bel*, *belle* (Exemple : — — homme ! *Quel bel* homme !) : homme ; sac ; voiture ; épaule ; enfant ; vestibule ; octobre ; voix ; idée ; air. (p. 238.)

Exercice XI. Écrivez à l'interrogatif : 1. La leçon a commencé. 2. C'est nouveau. 3. Vous aimez le chocolat. 4. Il a perdu sa montre. 5. Ils n'ont pas vu le camelot. 6. Vous savez où j'ai laissé mon cahier. 7. Madame Lépine fait son tricot. 8. Votre père viendra tout à l'heure. (p. 256.)

Exercice XII. Répondez :

1. Si vous voulez monter dans un autobus à Paris, que faites-vous ?
2. Quelle est la date de votre anniversaire ? Quel âge aurez-vous ?
3. Combien de frères et de sœurs avez-vous ?
4. Vous êtes à Paris. Il est midi et vous avez faim. Que faites-vous ? (pp. 277, 278, 279.)
5. Ecrivez le jour de la semaine et la date.

6. Vous voulez prendre un bain. Que faites-vous ?
7. Faites la liste des choses que vous portez dans votre sac quand vous êtes à la montagne.
8. Jouez-vous au tennis ?
9. Nommez les quatre repas du jour et nommez les objets qui sont sur la table du déjeuner. (p. 278.)
10. Qu'y a-t-il dans un journal ?

Exercice XIII. 1. (Exemple : Inviter. *Une invitation.*) Faites ainsi des substantifs de : collaborer, converser, préparer, durer, admirer, former, destiner, continuer, représenter, délibérer.

2. (Exemple : Entrer. *Une entrée.*) Faites ainsi des substantifs de : penser, aller, dicter, monter, arriver, rentrer, fumer, assembler.

3. Composez une petite phrase pour chacun des substantifs ainsi formés.

Exercice XIV. Conjuguez complètement : 1. Je me lève de ma place. 2. Je bois dans mon verre. 3. J'ôte ma casquette. 4. Je vais voir mon ami. 5. Je me lave les mains. (p. 241.)

Exercice XV. Sujets de composition :

1. Supposez que vous avez fait un voyage. Composez votre " carnet " ; d'un côté les dépenses ; de l'autre les impressions.
2. Scène à la gare. (p. 281.)
3. Décrivez une ascension.
4. Un accident dans la rue. (pp. 277, 284.)
5. Faites le portrait de Monsieur Perrichon.
6. Écrivez une lettre de Mademoiselle Henriette Perrichon à une amie pour lui expliquer pourquoi elle préfère Armand.

XI. AU JARDIN DU LUXEMBOURG

" Où est Bobette donc ? Dis, où est Bobette ? " Toto entre dans la salle à manger — non, elle n'y est pas — elle n'est pas dans sa chambre. Où peut-elle être, cette sœur bien aimée ? Toto s'en va dans la cuisine chercher sa mère. " Maman, où est Bobette ? "

" Bobette est allée au théâtre, mon chéri," lui répond sa mère. " Tu sais que c'est jeudi ; Bobette est allée au théâtre avec Solange."

" Moi aussi, je veux aller au théâtre, Maman," dit Toto, sur le point de pleurer. " Moi aussi, Maman."

" Attends un peu, mon chéri," dit Madame Lépine. " Dans un petit quart d'heure, toi et moi, nous irons aussi au théâtre, à un beau théâtre, fait exprès pour toi, mon Toto."

" Vraiment, Maman ? " s'écrie Toto, qui n'ose pas croire à ce beau projet.

" Mais oui, mon petit. Va-t'en vite chercher ton béret ; je serai prête, moi, dans dix minutes."

Dix minutes plus tard, Toto, très fier, sort avec sa Maman. Madame Lépine prend la main de son petit garçon et se dirige vers un " Arrêt facultatif " de l'autobus. Voici bientôt l'autobus A C qui approche et fait halte. Toto, enchanté, grimpe dans la voiture, suivi de sa mère. Fasciné, il regarde de ses grands yeux bleus le receveur qui arrive avec son sac et sa souche de billets.

Avec un air très important, il lui tend la pièce que lui passe sa mère. Le receveur lui donne les billets en souriant. " Merci, Monsieur," dit Toto poliment.

Toto est content. Comme il est content ! Il sait maintenant où Maman va le mener. Il connaît déjà l'autobus A C. Et quand la voiture s'arrête devant la grille du Jardin du Luxembourg, il saute de sa place et a de la peine à attendre sa mère. " Vite, Maman," dit-il. " L'autobus va repartir ! "

Il sait déjà qu'il faut traverser la rue avec prudence ; qu'il faut toujours chercher le passage clouté ; il aime ces grands clous qui brillent comme de petites assiettes en argent. Qu'ils sont beaux, ces clous ! Il a envie de les caresser.

Madame Lépine et lui entrent dans ce beau parc, le Jardin du Luxembourg. Déjà Toto a une idée. " Oh, Maman," dit-il, " allons voir les jolis yachts dans le bassin, veux-tu ? " Madame Lépine sourit ; elle connaît la passion de son fils pour l'eau ! " Eh bien, oui," dit-elle. " Nous avons encore vingt minutes avant notre théâtre."

Toto sautille de plaisir et d'impatience. Quelle belle après midi ! Il n'a pas le temps de regarder les belles fleurs dans les parterres de chaque côté de l'allée ; pour une fois il a oublié les petits moineaux impertinents qui viennent se percher jusque sur les épaules de ce bon vieillard qui leur donne des miettes de pain. Dans un autre endroit des jeunes filles jouent au tennis. Mais quand on est homme, on a des choses plus sérieuses à faire ! Il entraîne Maman vers le grand bassin rond avec le jet d'eau au milieu, où dansent au soleil une dizaine de petits yachts aux voiles blanches. Autour du bassin leurs heureux propriétaires regardent le progrès de leurs bateaux et organisent des courses de vitesse.

Quelle chance ! Au moment où arrivent Toto et sa mère un jeune homme de dix-sept ans survient, portant entre les bras un grand yacht — un yacht immense — long de presque 1 m. — et qui a cinq voiles ! Ce beau vaisseau est plus grand que tous les autres. Il est immense ! Il s'appelle " Le Goéland."

Le jeune homme descend au bord du bassin. Doucement " Le Goéland " entre à l'eau. Toto regarde, ébahi. Le jeune homme a une longue perche de bambou. Du bout de cette perche il pousse " Le Goéland " et le beau yacht s'en va, balancé par les petites vagues du bassin. Une brise gonfle les voiles du " Goéland." Majestueux, il se dirige vers l'autre bout du bassin, " rapide comme la flèche de Guillaume Tell."

Toto se précipite—il court de toute la force de ses deux petites jambes — il fait le tour du grand bassin pour aller recevoir " Le Goéland " quand il abordera. Il arrive, " Le Goéland," à toute vitesse. Toto se penche pour le recevoir, les bras tendus — Ah !

Heureusement pour lui, le grand jeune homme à la perche arrive au même instant et saisit le petit enthousiaste par la ceinture juste au moment où pour la vingtième fois de sa courte vie, Toto va prendre un bain inattendu !

" Attends, mon petit bonhomme," dit le jeune homme. " Tu vas tomber à l'eau ! Attends — tu vas voir comment je le fais marcher."

Il soulève le beau " Goéland " et montre à Toto comment il tourne le gouvernail afin de changer la direction du yacht. Toto regarde, émerveillé. Puis son nouvel ami lui tend la perche de bambou. " Tiens ! Pousse-le toi-même, tu verras."

Très fier, Toto saisit la perche entre ses deux petites mains potelées et pousse " Le Goéland " dans la direction du centre du bassin, là où est

le joli jet d'eau. Et le yacht part, gagnant de vitesse comme la brise gonfle ses cinq voiles.

Mais il est presque trois heures ! " Viens, Toto," appelle Madame Lépine. " Nous avons juste le temps d'arriver avant le commencement de la représentation. Merci, Monsieur," ajoute-t-elle, " de votre bonté pour mon petit garçon."

" Il n'y a pas de quoi, Madame," répond le jeune homme en souriant. " Il est bien gentil, le petit bonhomme, et aime beaucoup la vie de marin ; n'est-ce pas, mon petit, que tu l'aimes ? "

" Oh, *oui*," lui répond Toto avec ferveur. " Au revoir, Monsieur; au revoir, beau 'Goéland.' "

XI

Exercice I. Écrivez *ce*, *cet*, *cette*, *ces* devant chacun des substantifs suivants : théâtre, passage, clous, argent, parc, propriétaire, miette, allée, précaution, enthousiaste, prudence, marin, yacht, passion, moineaux, parterre, projet, point, pièce, ceinture. (p. 240.)

Exercice II. Écrivez au futur : il a, il va, il voit, il est, il veut, il sait, il doit, il fait, il part, il répond ; vous finissez, vous buvez, vous venez, vous êtes, vous espérez, vous pouvez, vous attendez, vous voulez, vous tenez, vous tombez. (pp. 256-65.)

Exercice III. Dans les phrases suivantes, remplacez les tirets par la forme convenable des pronoms forts (Exemple : —, je m'en vais ; —, il reste. *Moi*, je m'en vais ; *lui*, il reste) : 1. —, je m'en vais ; —, il reste. 2. Prenez des billets pour — et pour —. 3. — et —, nous irons au théâtre. 4. Marie et —, nous sommes sorties ensemble ; je suis allée avec — au cinéma. 5. J'accepte pour — ; mais je ne puis accepter pour —, mon frère. 6. — et —, vous pouvez y aller ensemble. 7. Je leur ai donné des bonbons, pour — et pour —. 8. — aussi, il veut nous accompagner. 9. Je ne l'ai pas vue, —. 10. Ils ne veulent pas m'aider ; je le ferai sans —. (pp. 245-6.)

Exercice IV. Formez des adverbes de (Exemple : long > longue > *longuement*) : long ; majestueux ; lent ; poli ; facile ; affreux ; vif ; infini ; tel ; gentil. (p. 250.)

Exercice V. Calculez :

1. Dix timbres de 1 fr. 50 ; 20 de 90 ct. ; 4 de 50 ct. Vous donnez un billet de 50 fr. et recevez combien ?

2. 1 livre de pommes à 2 fr. 50 la livre ; 1 kg. de tomates à 1 fr. 25 la livre ; 10 pêches à 75 ct. la pièce. (p. 268.)

3. Vous achetez des " souvenirs " de votre visite à Paris :

une pochette en cuir à 10 fr. 50.
$\frac{1}{2}$ litre d'eau de Cologne à 8 fr.
un album pour vos cartes postales à 5 fr. 75.
6 mouchoirs à 40 fr. la douzaine.
Donnez le montant (*a*) en francs, (*b*) en argent anglais. (p. 268.)

Exercice VI. Dans les phrases suivantes, remplacez les tirets par une petite phrase avec un participe passé (Exemple : — le joli yacht traverse le bassin. *Porté par la brise*, le joli yacht traverse le bassin) : 1. —, le joli yacht traverse le bassin. 2. —, Toto sort. 3. —, l'alpiniste s'arrête au bord du précipice. 4. —, le voyageur arrive à destination. 5. —, le taxi part à toute vitesse. 6. —, Gessler tombe, mort. 7. —, les rosiers sont en fleurs. 8. —, l'assiette tombe en morceaux. 9. —, la baignoire déborde. 10. —, les enfants se rendent au parc.

Exercice VII. Répondez :

1. Où voit-on les yachts ?
2. Préférez-vous un yacht ou un canot automobile ?
3. Qu'est-ce qu'une miette ?
4. Qu'y a-t-il dans un parterre ?
5. Nommez des oiseaux.
6. Quelle est la différence entre un goéland et un moineau ?
7. Comment appelle-t-on un passage clouté en anglais ?
8. Où trouve-t-on des passages cloutés ?
9. Pourquoi a-t-on fait des passages cloutés ?
10. Y a-t-il un arrêt de l'autobus près de votre lycée ?

Exercice VIII. Écrivez au pluriel : 1. Donne-lui un clou, s'il te plaît. 2. Je suis entré dans un beau parc. 3. Moi, je suis parti de bonne heure. 4. Je bois dans mon verre et je le pose à côté de mon assiette. 5. Fasciné, il regarde de son grand œil bleu l'automobile qui passe. 6. Il sait qu'il ne doit pas faire cela. 7. Passe-moi un petit morceau de pain, je t'en prie. 8. Ce vieil ami me donne toujours un joli cadeau. (p. 236.)

Exercice IX. Sujets de composition :

(1) Écrivez le dialogue entre Toto et sa mère comme ils se rendent au Jardin du Luxembourg.

(2) Le jeune homme raconte à un ami sa rencontre avec Toto.

Exercice X. Apprenez par cœur :

Au Jardin du Luxembourg

Masc.	Fém.
un arbre	la grille
le parterre	une allée
le rosier	la rose
le bassin	une eau
le bord	la brise
le yacht	la voile
le jet d'eau	la goutte d'eau
le vieillard	la vieille
le garçon	la fillette
le moineau	la miette (de pain)

entrer (dans)	aborder
sortir (de)	gonfler
sauter	se percher
jouer	voler

Employez ce vocabulaire pour écrire une description du Jardin du Luxembourg.

XII. TOTO REND VISITE A GUIGNOL

Dans le petit théâtre il y a des rangées de tout petits bancs pour les enfants, et, de chaque côté, des places pour les grandes personnes. La scène est exactement comme celle des vrais théâtres, seulement elle est beaucoup plus petite et plus basse et la rampe est moins haute que celle d'un vrai théâtre. Un beau rideau de velours vert cache la scène au moment où Toto et Madame Lépine entrent. L'orgue joue une gaie musique de danse.

Il est trois heures moins cinq. Déjà le théâtre est presque plein d'enfants qui bavardent sans cesse. Madame Lépine trouve une place pour Toto au bout de la 6e rangée de bancs et s'assied à côté de lui. Toto est heureux comme un roi ; de ses grands yeux émerveillés il regarde le rideau qui va s'ouvrir pour révéler — quoi ?

La musique cesse. Le rideau s'ouvre. Toto pousse un cri de joie. La scène représente la cuisine d'une maison minuscule ; à droite, sur un dressoir, sont alignés de jolies assiettes bleues, des tasses, des pots ; à gauche, il y a un grand bahut en beau chêne noir. Une table au milieu, deux chaises, une de chaque côté, un banc contre le mur, une porte au fond.

Pan ! Pan ! Pan ! On frappe à la petite porte, celle du fond. Un silence se fait dans le théâtre ; les enfants attendent, graves, muets.

Pan ! Pan ! Pan ! Puis une petite voix enrouée. " Peut-on entrer ? " Et tous les enfants s'écrient à la fois : " Oui ! Oui ! On peut entrer ! "

"Vous êtes sûrs qu'on peut entrer, les enfants?"
" Oh, oui, entrez donc ! "

" Vous en êtes *bien* sûrs ? " La voix de Toto, impatientée, se fait entendre au-dessus de toutes les autres : " Mais OUI, entrez donc ! "

La porte s'ouvre lentement, juste assez pour montrer la tête d'un petit bonhomme, au nez rouge, énorme, aux yeux vifs. " Peut-on entrer?" " Mais oui, entrez," répètent les enfants en chœur. Le petit bonhomme entre. Il porte un costume jaune avec une ceinture rouge et une casquette rouge. Il sourit, d'un large sourire fixe qui s'étend jusqu'aux oreilles. C'est Gaspard, l'ami de Guignol, celui qui l'accompagne toujours.

Il s'avance jusqu'à la rampe. " Bonjour, mes amis," dit-il, en saluant très bas. " Êtes-vous contents de me voir ? " " Oui, oui, Gaspard," s'écrient les enfants. " Vous êtes bien sûrs ? " " Mais oui." " Alors, me voilà."

Pan ! Pan ! Gaspard se retourne, étonné. Qui est là ?

Pan! Pan! "Peut-on entrer?" "Est-ce qu'on peut entrer, les enfants ? " demande Gaspard. "Mais oui, on peut entrer."

Gaspard s'en va à la porte. Pan! Pan! Gaspard essaie d'ouvrir la porte. Mais elle ne veut pas s'ouvrir. Pan! Pan! Gaspard tire: on pousse, bien fort. Enfin la porte s'ouvre, mais comment ? La porte s'ouvre si brusquement que le malheureux Gaspard se renverse en arrière — il roule, il roule, comme une boule. Toto se lève de sa place — il bat des mains — il rit de tout son cœur. Oh, comme il est drôle, ce Gaspard, comme il est drôle !

Et enfin on entre. Qui ?

Deux enfants entrent, un petit garçon et une

petite fille, tous deux habillés en marins. " Voici mes amis, Toto et Sylvette," annonce Gaspard.

Toto se lève de sa place, indigné. " Mais non, c'est moi qui suis Toto," clame-t-il. " Ça, ce n'est pas Toto ! Moi, je suis Toto ! " Doucement, Madame Lépine le fait asseoir. " Attends, mon chéri, tu vas voir ; ce n'est pas toi, bien sûr, c'est un autre Toto, l'ami de Gaspard."

" Toto numéro deux " et Sylvette ont apporté des cadeaux pour Gaspard, celui-là un poulet, tout cuit, celle-ci un beau gâteau, un gâteau superbe, dont la glace est de toutes les couleurs — vert, rose, jaune. Quel magnifique gâteau — il est presque aussi grand que Sylvette elle-même !

Le beau dîner pour Gaspard ! La belle surprise ! Comme il est content ! Il pose le poulet et le gâteau sur la table ; il danse de joie ; il danse tout autour de la table. Toto et Sylvette dansent avec lui et il les embrasse ; il leur donne de gros baisers — des baisers qui font Clac ! Clac ! ! Et puis les trois amis dansent une ronde et chantent.

Enfin Toto et Sylvette disent " Au revoir " à leur ami Gaspard et ils s'en vont. Gaspard ferme la porte et revient devant la rampe. " N'est-ce pas qu'ils sont gentils, les enfants ? " " Oh, oui, ils sont gentils." Et Toto, plus haut que les autres, " Oui, oui : Toto est bien gentil — et Sylvette aussi," ajoute-t-il, un instant après.

Et maintenant on baisse les lumières. " Il est temps de se coucher," dit Gaspard. Il sort et

revient un instant après en longue chemise de nuit, son bonnet de nuit sur la tête, une bougie à la main. " Faut se coucher, les enfants ; bonne nuit ! " " Bonne nuit, Gaspard ; dormez bien," disent les enfants.

Gaspard est endormi. On l'entend ronfler. Et qu'est-ce qui arrive ? La porte s'ouvre doucement — très doucement — une tête passe — puis, peu à peu, entre un VOLEUR ! Quelle horreur ! C'est un petit homme très laid, très rusé, qui porte une énorme casquette brune, une jaquette jaune et un foulard rouge noué autour de son cou. Il porte un gros bâton. C'est un apache !

Les enfants se mettent à crier de toutes leurs forces. " Au voleur ! Au voleur ! Au secours ! Au secours, Gaspard ! Il y a un voleur ! " Le voleur s'avance jusqu'à la rampe. " Taisez-vous, les enfants ! Mais taisez-vous donc ! " siffle-t-il. Mais les enfants ne veulent pas se taire.

Un bruit — c'est Gaspard qui arrive. Vite, le voleur se cache sous la table. " Gaspard, Gaspard, il y a un voleur ! " clament les enfants. " Mais où est-il, ce voleur ? " demande Gaspard. " Je ne le vois pas, les enfants. Je crois que vous vous trompez." " Mais non, mais non," s'écrient les enfants. " Il est là, Gaspard, sous la table. Regardez donc ! " Mais quand Gaspard se dirige vers la table et se baisse pour regarder, le voleur est déjà sorti d'en dessous et se cache derrière le dos de Gaspard. " Il est derrière vous, Gaspard — vite, vite, retournez-vous, regardez ! " " Mais vraiment je crois que vous me trompez, les enfants ; je ne vois pas de voleur ! "

Toto se lève de sa place et tend la main pour indiquer à Gaspard où est caché le voleur. Et il pousse un cri d'horreur. Car le voleur, caché derrière le dos de Gaspard, donne au malheureux coup sur coup de son formidable bâton. Clac ! Clac ! ! Clac ! ! ! Chaque fois que le pauvre Gaspard lève la tête, il reçoit Clac ! un nouveau coup de bâton.

Enfin il ne lève plus la tête. Le misérable voleur le traîne au bahut, en soulève le lourd couvercle et y fait entrer le pauvre Gaspard ; puis il s'assied dessus. Les enfants sont furieux.

Pan ! Pan ! Pan ! Le voleur se précipite pour pousser le verrou de la porte. Trop tard ! La porte s'ouvre. Qui entre? Ah, c'est Guignol lui-même ! Les enfants battent des mains.

Guignol, c'est le héros de la pièce, celui de toutes les pièces à marionnettes, celui qui accomplit tous les exploits, qui punit tous les crimes, tous les malfaiteurs. Ah ! Nous sommes sauvés !

" Guignol, Guignol, il y a un voleur," clament les enfants. " Guignol, regardez dans le bahut ! Gaspard y est — le voleur l'a tué ! "

" Mais non, mais non," dit le voleur. " Je ne suis pas un voleur, moi." Et il ajoute, à part : " Taisez-vous, les enfants ; taisez-vous, vous dis-je."

" Tu es un voleur ? " demande Guignol. " Mais non, mais non," dit le voleur. " Mais si, mais si," clament les enfants. " Regardez donc dans le bahut, Guignol." " Dans quel bahut ? " demande Guignol. " Dans celui qui est là, derrière vous : regardez donc, Guignol."

Enfin Guignol se décide à regarder dans le bahut, dans celui qui est derrière lui. Lentement il en soulève le couvercle. Les enfants poussent un soupir de contentement. Toto, lui, pousse un cri de joie. " Bravo, Guignol ! "

Peu à peu celui-ci retire Gaspard du bahut — une main, un bras, deux bras apparaissent, puis la tête de Gaspard. Et d'un bond Gaspard sort entièrement. Non, il n'est pas mort, le bon Gaspard, non, non ! Les enfants battent des mains " Bravo ! Bravo ! Gaspard n'est pas mort ! "

Gaspard se jette sur le voleur, furieux. " Ah, le misérable ! Il est venu pour me voler mon poulet et mon beau gâteau ! " Guignol, lui, fait venir deux grands gendarmes à tricornes, armés d'énormes bâtons. Ils saisissent le misérable voleur et l'emmènent, malgré ses efforts pour leur échapper.

" Vous êtes contents, les enfants ? " demande Guignol. " Oh oui, oui, nous sommes contents. C'est bien fait pour le voleur ! C'est bien fait ! "

Et Toto élève sa petite voix : " Merci, bon Guignol, d'être venu ! "

C'est fini. " Au revoir, les enfants," disent Guignol et Gaspard. " A la prochaine fois." " Au revoir, Guignol, au revoir, Gaspard."

Le rideau se referme. La musique reprend. Toto pousse un soupir de contentement. " Oh, que je suis content, Maman ! Tu me mèneras voir Guignol une autre fois, dis ? "

XII

Exercice I. (Exemple : — porte — théâtre. *La* porte *du* théâtre) : 1. — porte — théâtre. 2. — fin — scène. 3. — couvercle — bahut. 4. — verrou — porte. 5. — jaquette — garçon. 6. — casquette — apache. 7. — musique — orchestre. 8. — velours — rideau. 9. — héros — pièce. 10. — dos — homme.

Exercice II. Dans les phrases suivantes, remplacez les substantifs par des pronoms personnels (forts ou faibles), (Exemple : Toto et Sylvette dansent avec Gaspard autour des gendarmes. *Lui* et *elle* dansent avec *lui* autour d'*eux*) : 1. Toto et Sylvette dansent avec Gaspard autour des gendarmes. 2. Un silence se fait dans le théâtre. 3. Le receveur trouve une place pour Toto à côté de sa mère. 4. Il pose le poulet et le gâteau devant les enfants. 5. Gaspard ferme la porte et revient devant la rampe. 6. Le voleur se cache derrière Gaspard. 7. Guignol soulève le couvercle du bahut. 8. Donnez du pain à votre ami. 9. Regardez dans le bahut ! 10. Un rideau de velours cache la scène au moment où Toto et Mme Lépine entrent. (pp. 243-6.)

Exercice III. Écrivez le contraire de : soulever, vide, en dessous, cacher, devant, lentement, bas, premier, immense, à droite.

Exercice IV. Écrivez au passé composé : 1. La lumière fait découvrir le voleur. 2. La pièce que je vois au théâtre est amusante. 3. Les deux enfants tombent en arrière. 4. Un petit garçon et une petite fille entrent. 5. Il frappe coup sur coup. 6. Il ne la connaît pas. 7. La jaquette que je porte est bleue. 8. Elle me donne un sou. 9. Elle rit de tout son cœur. 10. Il ne les embrasse pas. (pp. 254-5.)

Exercice V. Dans les phrases suivantes, remplacez les tirets par la forme convenable de *celui* (*-ci*, *-là*), *celle* (*-ci*, *-là*) (Exemple : Voici deux casquettes ; — est bleue ; — est brune. Voici deux casquettes ; *celle-ci* est bleue, *celle-là* est brune) : 1. Voici deux casquettes ; — est bleue ; — est brune. 2. Regardez dans le placard ; dans — à gauche de la cheminée. 3. — qui dit cela, se trompe. 4. Des deux dames, je préfère — qui est habillée en bleu. 5. Prenez cette pêche-ci ; — n'est pas bonne. 6. Voici notre maison ; M. Lépine demeure dans — qui est en face. 7. Toto et Sylvette apportent des cadeaux ; — un poulet, — un gâteau. 8. Mon anniversaire est le 12 janvier ; — de ma sœur est le 15 février. (p. 246.)

Exercice VI. Dans les phrases suivantes, remplacez les tirets par le mot qui convient (Exemple : Toto — visite à Guignol. Toto *rend* visite à Guignol) : 1. Toto — visite à Guignol. 2. Mon ami me — cordialement la main. 3. L'enfant — un cri de joie. 4. On — la lumière. 5. La mère — les bras à l'enfant. 6. L'ouvreuse — le pourboire. 7. La petite fille — un soupir de contentement. 8. L'alpiniste — son aventure. 9. Le professeur — une question à la classe. 10. Solange a — sa partie au tennis.

Exercice VII. Répondez :

1. Quelle heure est-il ?
2. Qu'est-ce qu'un apache ?
3. Décrivez le costume d'un apache.
4. Nommez plusieurs parties d'un théâtre.
5. Que dit-on quand on va se coucher ?
6. Que crie-t-on quand on est attaqué ?
7. De quoi un bahut est-il fait ?

8. Que vous dit votre mère quand vous parlez trop haut ?
9. Nommez de bons cadeaux, (1) pour un monsieur, (2) pour une dame.
10. Avez-vous jamais vu un théâtre de marionnettes ?

Exercice VIII. Formez des substantifs de (Exemple : blanc — blanche — *la blancheur*) : blanc, gros, laid, rouge, large, raide, pâle, doux, profond, haut.

Exercice IX. Sujets de composition :

(1) Décrivez l'intérieur d'une vieille cuisine française.
(2) Écrivez une petite scène pour un théâtre de marionnettes. (Inspirez-vous d'un " Punch and Judy Show.")

Exercice X. Apprenez par cœur le vocabulaire suivant (p. 280) :

Au Théâtre

Masc.	Fém.
le théâtre	la pièce
le drame	la tragédie
l'auteur	la comédie
l'acte	la scène
le rideau	la rampe
le fauteuil	la place
le balcon	la loge
l'acteur	l'actrice
le personnage	la représentation
le spectateur	l'ouvreuse

entrer	parler
sortir	jouer
entendre	
acclamer	réussir
battre des mains	échouer

XIII. LE DÉJEUNER

(*Scène. Salle à manger de la famille Lépine. Il est midi et quart. La famille s'est déjà mise à table.*)

M. LÉPINE. Eh bien, Bobette, tout s'est bien passé ce matin ?

BOBETTE. Oh, oui, Papa, très bien, comme toujours. Il n'y a que la leçon de mathématiques que je trouve difficile ; je n'aime pas les mathématiques, moi.

PAUL. Naturellement, Bobette. Les fillettes ne savent jamais rien en mathématiques ; c'est un sujet pour les hommes, ça.

BOBETTE. Eh bien, je vous les laisse avec plaisir. Veux-tu me passer les olives, Maman, si tu t'es servie ?

MME LÉPINE. Veux-tu aussi une sardine, Bobette ?

BOBETTE. Merci, Maman ; j'aime bien ces olives. Mais si tu veux bien me passer le beurre ?

TOTO (*élève la voix*). Et moi, Maman ?

MME LÉPINE. Sers-toi, ma fille. (*A Toto.*) Voici une jolie tartine de beurre pour mon Toto. (*A la bonne.*) Marguerite, voulez-vous apporter la viande ? Monsieur est pressé aujourd'hui.

LA BONNE. Bien, Madame. (*Elle emporte le plat d'hors d'œuvre* (*des sardines, des olives, etc.*), *et revient avec un grand plat de viande rôtie qu'elle pose devant Monsieur Lépine.*)

M. LÉPINE. Passe-moi le verre de Maman, Paul. (*Il y verse du vin.*) Et le tien, mon fils. (*Il y verse un peu de vin, puis passe le verre à Paul, qui y ajoute de l'eau.*) En veux-tu, Bobette ?

BOBETTE. Merci, Papa, j'ai déjà bu de l'eau. Mais, Maman, écoute. Nous avons eu ce matin une leçon de conversation anglaise avec notre nouvelle assistante qui vient d'arriver, tu te rappelles ?

M. LÉPINE. Elle est gentille ?

BOBETTE. Très gentille, Papa. Au commencement, quand nous nous sommes trouvées seules avec elle, nous n'avons pu prononcer une parole ! Mais elle s'est mise à parler, lentement, et elle nous a posé des questions sur Paris et sur nos livres et sur notre travail, et, ma foi, bientôt . . .

PAUL (*l'interrompt*). Je sais, je sais ; vous avez fini par parler toutes en même temps, n'est-ce pas ? C'est étonnant comme les jeunes filles bavardent !

BOBETTE. Tant mieux ; il faut bavarder pour apprendre à bien parler anglais, n'est-ce pas, Papa ?

(*M. Lépine a fini de découper la viande. Il pose les différents morceaux sur une assiette que Marguerite présente avec une fourchette à chaque membre de la famille à tour de rôle. De ses grands yeux bleus, Toto la regarde, en mangeant sa tartine.*)

M. Lépine. Bien sûr, Bobette. Mais à propos, Maman, tu inviteras cette dame à venir nous voir un jour ?

Mme Lépine. Très volontiers, mon ami. Qu'est-ce que tu en penses, Bobette ?

Bobette. Oh Maman, elle sera heureuse de venir, j'en suis sûre ! Elle doit s'ennuyer un peu, seule à Paris, car elle ne connaît personne ici, nous a-t-elle dit.

Mme Lépine. C'est vrai ? Eh bien, je suis libre jeudi prochain ; veux-tu l'inviter à venir prendre une tasse de thé avec nous ? (*Voyant que toute la famille s'est servie.*) Marguerite, tout le monde s'est servi ; vous pouvez emporter la viande et apporter les légumes.

La Bonne. Très bien, Madame. (*Elle emporte la viande et revient avec un plat de choux-fleurs au gratin qu'elle présente à chacun.*)

Paul. Du chou-fleur, Maman ! Mon plat préféré !

Mme Lépine. Ils sont maintenant en saison ; il y en avait des quantités hier dans les magasins et très bon marché, d'ailleurs.

BOBETTE. Maman, j'ai une idée ! Veux-tu nous mener, Miss England et moi, faire la visite de la Cité ? J'aime tellement me promener avec toi et il y a tant de choses intéressantes à voir dans la Cité. D'ailleurs, tu les expliques si bien, petite mère !

PAUL. Et Miss England pourra comparer notre Cité avec son historique Westminster.

BOBETTE. Westminster ? Tu veux dire Londres ?

PAUL. Au contraire — tu vois que je suis plus fort que toi en anglais — ou plutôt en histoire, car Westminster est pour Londres ce que la Cité est pour nous autres Parisiens, n'est-ce pas, Papa ?

M. LÉPINE. Oui, à peu près. Mais c'est une bonne idée que tu as eue là, petite fille. Si Maman est libre ?

MME LÉPINE. Je crois que je puis m'arranger pour être libre.

LA BONNE. Faut-il apporter le dessert, Madame ?

MME LÉPINE. Oui, s'il vous plaît.

(*La bonne emporte les assiettes et revient avec un gros morceau de fromage sur une assiette qu'elle pose devant M. Lépine. Puis elle va au buffet où elle prend un grand plat de fruits qu'elle pose devant Mme Lépine. Mme Lépine y prend une pomme, puis elle passe le plat à Bobette.*)

BOBETTE (*prend une grosse poire*). Maman, je puis en donner un morceau à Toto, n'est-ce pas ? En veux-tu, Toto chéri ?

TOTO (*tend les deux mains*). Oh, oui, donne m'en, B'bette. (*Il saisit son morceau de ses deux petites mains et veut le faire entrer entièrement dans sa bouche.*)

MME LÉPINE. Oh, pas comme ça, mon petit ! Attention ! Maman va te le couper, ce gros morceau.

TOTO (*regarde la famille, en souriant largement*). Un *gros* morceau pour Toto !

BOBETTE. Oh, que tu es mignon ! (*Elle quitte sa place et va lui offrir encore un morceau de sa poire.*) Tiens, mange gentiment !

MME LÉPINE. Eh bien, Bobette, c'est convenu pour jeudi ?

BOBETTE. Oh oui, merci, Maman. J'inviterai donc Miss England à nous accompagner pour faire le tour de la Cité ? A quelle heure, penses-tu ?

MME LÉPINE. Disons deux heures et demie. Ça me laissera le temps de m'occuper un peu de Toto avant de partir. Et toi, Paul ?

PAUL. Moi, je vais rendre visite à Jacques. Nous ne nous sommes pas vus depuis longtemps.

BOBETTE (*se moquant de lui*). En effet — pas depuis une quinzaine !

PAUL (*se précipite, mais Bobette s'est déjà sauvée*). Ces fillettes, quelle peste !

XIII

Exercice I.

1. Écrivez en toutes lettres : 5, 16, 75, 80, 93, 100, 202, 1492. (p. 270.)

2. Écrivez en toutes lettres les dates suivantes : 3.vi.1900 ; 14.11.1937 ; 25.xii.1904 ; 11.xi.1918 ; 10.viii.1936. (p. 267.)

3. Additionnez : 17 fr. 50, 30 fr. 25, 4 fr. 75, 42 fr. 90, 73 fr. 10. (p. 268.)

4. Quelle heure est-il ? 10.40 ; 9.15 ; 12.10 ; 1.30 ; 23.45. (p. 266.)

Exercice II. Dans les phrases suivantes, remplacez les substantifs par des pronoms : 1. Ne donnez pas ce gros morceau à l'enfant. 2. Avez-vous vu ma serviette ? 3. La jeune fille s'assied à côté de son père. 4. Voulez-vous passer du pain à votre frère ? 5. La bonne a apporté la viande. 6. Madame Lépine a donné du lait à Toto. 7. Paul est arrivé avec ses amis. 8. Le vin n'est pas sur la table. 9. N'aimez-vous pas ces olives ? 10. Voulez-vous me passer du sel, s'il vous plaît ? (pp. 244-5.)

Exercice III. Écrivez au pluriel : 1. Je mange une bonne olive. 2. J'achète un très beau chou-fleur. 3. Il a laissé tomber sa fourchette. 4. Où vois-tu le plat ? 5. Elle s'est assise à la table. 6. Cet abominable enfant saisit un gros morceau de fromage ! 7. Il s'est promené avec son père. 8. Ce bel homme applaudit la pièce. 9. Il s'est rappelé le nom de cet auteur. 10. Ce nouvel habit ne lui va pas. (pp. 236-9.)

Exercice IV. Répondez :

1. A quelle heure déjeunez-vous ?
2. Combien de membres y a-t-il dans votre famille ?
3. Quel est votre plat préféré ? (p. 279.)
4. Aimez-vous la leçon de mathématiques ?
5. Quelle est la différence entre le désert et le dessert ?
6. Qu'est-ce qu'une tartine ?
7. Nommez des fruits.
8. Imaginez que vous êtes dans un restaurant à Paris. Commandez un bon déjeuner. (p. 279.)
9. Nommez les repas français et indiquez les heures de ces repas.
10. Que mettez-vous quand vous sortez pour faire une promenade ?

Exercice V. Écrivez au passé composé (Exemple : Elle se met à travailler. Elle *s'est mise* à travailler) : 1. Elle se met à travailler. 2. Ils se sauvent. 3. Ils se tiennent devant l'entrée. 4. Elle se moque de son frère. 5. Bobette se promène avec sa mère. 6. Elles s'écrivent tous les jours. 7. Une belle dame se présente à la porte. 8. Les voleurs se retournent et se sauvent. 9. Je me trompe, dit-elle. 10. La bête ombrageuse se cabre. (pp. 254-5.)

Exercice VI. Dans les phrases suivantes, remplacez les tirets par de petites phrases composées avec un participe présent (Exemple : —je vois la famille assise autour de la table. *Entrant dans la salle à manger*, je vois la famille assise autour de la table) : 1. —je vois la famille assise autour de la table. 2. —, Paul dit " En veux-tu, Bobette ? " 3. —, M. Lépine commence à découper la viande. 4. — Bobette rit aux éclats. 5. " Merci," dit Mme Lépine —. 6. " Bonjour, mon père," dit Paul —.

7. — j'y prends une poire. 8. — j'achète 10 timbres de 50 ct. 9. — je vois une belle auto. 10. — je glisse et tombe.

Exercice VII. Dans les phrases suivantes, remplacez les tirets par la forme convenable de *celui*, *celle*, *ceux*, *celles* (Exemple : — qui disent ça, se trompent. *Ceux* qui disent ça, se trompent) : 1. — qui disent ça, se trompent. 2. Levez-vous, — qui a répondu à la première question. 3. J'ai acheté ces deux cahiers ; — a coûté 2 fr. ; — 1 fr. 50. 4. Cette petite fille-ci est une peste, mais j'aime bien —. 5. Ces poires-ci sont bien mûres, mais il ne faut pas manger —. 6. De ces deux chapeaux, je préfère — qui est rouge. (p. 246.)

Exercice VIII. Écrivez le pluriel de : je mange, je commence, je jette, je règle, j'élève, je sers, je suis, je mets, je bois, je dois, je crois, je vois. (pp. 256-65.)

Exercice IX. Sujets de composition :

1. Écrivez un dialogue à la table.
2. Imaginez que votre mère vous donne un billet de 50 fr. en vous disant de faire les emplettes pour le déjeuner. Écrivez le dialogue dans les différents magasins ; et faites les additions.

3. Imaginez que vous avez un(e) ami(e) français(e) qui est venu(e) vous faire visite pendant les vacances. Vous le (la) menez voir les monuments historiques ou intéressants de votre ville. Écrivez le dialogue.
4. Comparez la capitale de l'Angleterre avec la capitale de la France.
5. Décrivez l'intérieur d'un théâtre. (p. 280.)

Exercice X. Apprenez par cœur la série suivante :

1. A midi moins un quart je rentre à la maison.
2. Je me lave les mains.
3. J'entre dans la salle à manger.
4. Je m'assieds à la table.
5. Je déplie ma serviette.
6. Je coupe des morceaux de pain pour la famille.
7. Je mange quelques hors d'œuvre.
8. Je bois dans mon verre.
9. Je mange une tranche de viande.
10. Je prends des légumes et passe le plat.
11. Je mange du dessert.
12. Je plie ma serviette.
13. Je dis " Au revoir " à mes parents.
14. Je quitte la table.

XIV. LA CITÉ

Jeudi arrive. Bobette, qui s'est déjà habillée pour sortir, attend sur le palier l'arrivée de Miss England. A deux heures vingt-cinq celle-ci apparaît au pied de l'escalier et commence à monter. Bobette s'empresse de descendre pour lui souhaiter la bienvenue. " Bonjour, Miss England, je suis si contente de vous voir."

" Bonjour, Bobette. Et moi de venir. Mais vous ne parlez plus anglais alors ? "

" Oh, pas aujourd'hui, Mademoiselle. Pas cette après-midi, en tout cas. Voyez-vous, il vous faut apprendre à parler français ; d'ailleurs, Maman n'a pas l'habitude de parler anglais ; elle dit qu'elle l'a oublié tout à fait, son anglais, depuis qu'elle n'en fait plus."

" Je crois bien que vous trichez, Bobette," répond Miss England en souriant. " Mais je ferai de mon mieux, pour une fois." "Vous parlez déjà admirablement bien, Mademoiselle ; vous faites beaucoup de progrès depuis que vous êtes ici," assure Bobette. "Tout le monde le dit. Voulez-vous entrer un petit moment ? Maman est presque prête, je crois, mais elle s'occupe toujours de mon petit frère Toto avant de sortir."

A ce moment Madame Lépine, qui s'est arrangée pour être libre, entre en souriant. "Bonjour, Mademoiselle," dit-elle. "Je suis très heureuse de faire votre connaissance. Permettez-moi de vous remercier de la bonté que vous avez eue pour ma fillette ; elle s'est enthousiasmée pour son anglais depuis que vous êtes ici."

"Merci beaucoup, Madame," balbutie Miss England. "Vous êtes trop aimable. Bobette est vraiment douée pour les langues."

"Vous croyez, Mademoiselle ? Je l'espère bien. Mais nous verrons. Cela vous fera-t-il plaisir de sortir un peu avec nous ? Il fait si beau aujourd'hui, un vrai jour d'automne."

"Cela me fera un grand plaisir, Madame, je vous assure. Surtout par ce beau temps. Je remarque que vous appelez un jour ensoleillé un 'vrai jour d'automne.' Pour nous autres Anglais, un vrai jour d'automne est un jour de pluie !"

"Maman," s'écrie Bobette. "J'ai une idée. Si nous montions sur la tour de Notre-Dame ? On a une si belle vue de là, sur toute la ville. Et surtout par ce temps clair et ensoleillé."

“ Si vous vous sentez le courage, Mademoiselle, de grimper toutes ces marches ? Il y en a des centaines,” dit Madame Lépine.

“ Je n’en ai pas peur, Madame.”

“ En route, alors.”

Madame Lépine ferme la porte de l’appartement et les trois dames descendent l’escalier.

“ Bonjour, Mesdames. Vous allez vous promener par le beau temps ? ” dit une brave femme qui est assise à tricoter à l’entrée de la loge du concierge.

“ Mais oui, Madame ; il faut en profiter, n’est-ce pas ? ” répond Mme Lépine.

“ C’est Mme Dubonnet, notre concierge,” explique Bobette. “ Elle est bien gentille ; elle travaille dur, car son mari est un blessé de la Grande Guerre et ne peut presque rien faire pour lui aider.”

“ Est-ce qu’elle a des enfants ? ” demande Miss England.

“ Rien qu’un petit garçon,” répond Bobette. “ C’est même pour ça que, Paul et moi, nous appelons le mari ‘ Dubon,’ et Madame, ‘ Dubonne ’ et le petit, ‘ Dubonnet.’ ”

Miss England rit aux éclats, car elle connaît déjà l'affiche célèbre. " Je n'oublierai pas la famille Dubon, Dubonne, Dubonnet," dit-elle.

" Prenons cet autobus," interrompt Mme Lépine. " Il nous mènera directement dans la Cité."

Les trois dames montent donc dans l'autobus qui file vers la Place St. Michel.

" Voyez-vous, Mademoiselle," explique Mme Lépine, " notre ville de Paris a eu son origine dans cette île qui est située juste au milieu de la Seine, et qui a la forme d'un bateau. Nous pourrons vous montrer cela du sommet de la tour de la Cathédrale."

L'autobus traverse le Pont St. Michel et va s'arrêter de l'autre côté de la rivière. Ces trois dames en descendent et se dirigent vers la Place du Parvis de Notre-Dame. Arrivées là, elles s'arrêtent un long moment pour en admirer la superbe façade avec ses deux grosses tours et le portail si richement sculpté. Une nuée de pigeons aux couleurs changeantes descend en battant des ailes et vient se poser tout près. " Les jolis pigeons ! " dit Miss England.

" N'est-ce pas, Mademoiselle ? Il y en a des centaines qui ont placé leurs nids sous la protection des saints sculptés de notre Cathédrale. Ils en sont même un des traits les plus caractéristiques. Beaucoup de personnes leur apportent du grain ou du pain à manger. Mais entrons ; la tour est ouverte aujourd'hui."

Madame Lépine entre la première, prend les billets à l'entrée de la tour et les trois dames commencent l'ascension. Au bout de cinq minutes elles arrivent sur une petite plateforme et s'arrêtent un moment pour reprendre haleine et pour regarder les étranges têtes grimaçantes des griffons et des monstres qui sont sculptés autour de la tour.

Bobette les entraîne. " Courage, Mademoiselle, la vue est tellement plus belle quand on arrive au sommet," dit-elle.

Enfin on arrive au sommet de la tour. Miss England pousse un petit cri de surprise. " Je n'ai rien vu de pareil depuis que je suis ici," dit-elle. " Quelle vue admirable ! "

" Nous allons faire le tour de la plateforme," dit Mme Lépine. " Je vous indiquerai les monuments les plus intéressants. Voyez-vous maintenant combien l'Ile de la Cité, comme nous l'appelons, ressemble à un vaisseau amarré dans la rivière ? En voilà la proue, là-bas. C'est pour cette raison que la devise de Paris a toujours été un vaisseau à voiles sur une mer houleuse, qui représente la Seine."

" Et l'ancien nom de Paris était bien Lutèce ? " demande Miss England.

" Oui. Ce sont les Romains qui lui ont donné ce nom," répond Mme Lépine. "Voyez-vous ici, à nos pieds, ces tours rondes qui ressemblent à un château fort du Moyen Age ? Ce sont les tours de la Conciergerie."

“ C’est bien la célèbre prison où l’on enfermait les victimes de la Révolution avant de les mener à l’exécution ? ” demande Miss England.

“ Oui. Nous en reparlerons plus tard, car vous devrez en faire la visite un jour. Ici, vous voyez le grand palais du Louvre, dont les bâtiments s’étendent le long de la Seine et qui a été, pendant des siècles, la résidence des rois de France. Puis viennent les beaux jardins des Tuileries, avec, là-bas, la Place de la Concorde. Plus loin encore, ce sont les Champs Élysées, et enfin, sur une éminence, l’Arc de Triomphe de la Place de l’Étoile.”

“ C’est là où est le Tombeau de notre Soldat Inconnu,” dit Bobette. “ Le vôtre a son tombeau dans l’Abbaye de Westminster, n’est-ce pas ? ”

“ Oui,” répond Miss England gravement.

“ Dites-moi, s’il vous plaît,” reprend Miss England. “ Quel est ce bâtiment blanc — une sorte de colonnade en marbre, ou en pierre blanche, qui domine la colline là-bas, à gauche, en face de la Tour Eiffel ? ”

“ Vous avez reconnu la Tour Eiffel, Mademoiselle ? ” demande Bobette avec surprise.

“ Oh, oui, tout de suite. Tout le monde doit connaître cette silhouette célèbre ! D’ailleurs, nous la connaissons mieux depuis le temps où l’on en émet les nouvelles par T.S.F. Mais c’est cette colonnade que je ne m’explique pas. Qu’est-ce qu’elle peut être ? Ne la voyez-vous pas là-bas ? ”

Bobette la regarde, elle aussi.

“ Ça ? Mais ce doit être le grand bâtiment qu'on est en train d'ériger pour l'Exposition, n'est-ce pas, Maman ? ”

“ En effet, ce doit être ça,” dit Mme Lépine. “ On a fait de si rapides progrès que je ne l'ai presque pas reconnu moi-même d'abord. Vous avez vraiment de la chance, Mademoiselle, de pouvoir passer une année à Paris à un moment si intéressant. Bobette, ne te penche pas au-dessus de la balustrade, ma petite ; tu me rends nerveuse ! ”

Après avoir indiqué plusieurs autres des monuments historiques de Paris, Mme Lépine dit :

“ Si vous voulez bien, nous descendrons maintenant pour continuer notre promenade dans la direction de la Place de la Concorde.”

XIV

Exercice I. (Exemple : — couleur — affiche : *La* couleur *de l'*affiche) : 1. — couleur — affiche. 2. — château — Moyen Age. 3. — nid — pigeon. 4. — silhouette — tour Eiffel. 5. — blessé — guerre. 6. — Ile — Cité. 7. — tartine — enfant. 8. — fourchette — père. 9. — commencement — repas. 10. — pied — escalier.

Exercice II. Écrivez au négatif (Exemple : Voulez-vous nous accompagner ? *Ne* voulez-vous *pas* nous accompagner ?) : 1. Voulez-vous nous accompagner ? 2. Penchez-vous au-dessus de la balustrade. 3. Nous l'avons vu hier dans l'autobus. 4. Y a-t-il des fourchettes sur la table ? 5. Donnez-lui son foulard. 6. Les rideaux se ferment bien. 7. Elle leur en a donné. 8. C'est possible ! 9. Les fruits sont-ils sur le buffet ? 10. Donnez-moi du lait, s'il vous plaît. (p. 251.)

Exercice III. Donnez les adverbes qui correspondent avec : grave, prochain, poli, long, doux, gentil, attentif, vigoureux, énergique, meilleur. (p. 250.)

Exercice IV. Écrivez au futur : il est, il voit, il sait, il sort, il permet, il croit, il se promène, il plaît, il peut, il jette, vous connaissez, vous venez, vous voulez, vous dites, vous souriez, vous avez, vous sentez, vous prenez, vous finissez, vous allez. (pp. 256-65.)

Exercice V. Répondez :

1. Qu'est-ce qu'un concierge ? Où demeure-t-il ?
2. Êtes-vous doué pour les langues ?
3. Fait-il beau aujourd'hui ?

4. Quelle est la date aujourd'hui ?
5. Dessinez un petit plan de Paris pour montrer l'Ile de la Cité, le Louvre, la Place de l'Étoile, etc. (pp. 274-5.)
6. Comment est un pigeon ?
7. Où les pigeons font-ils leurs nids ?
8. Qu'est-ce qu'un château fort?
9. A quels siècles donne-t-on le titre du " Moyen Age " ?
10. Avez-vous un poste de T.S.F. chez vous ?

Exercice VI.

Écrivez complètement l'imparfait de: porter, finir, vendre, avoir. (p. 253.)

Exercice VII. Dans les phrases suivantes, remplacez l'infinitif par la forme convenable du passé composé ou de l'imparfait (Exemple : Quand j'(être) chez lui il me (donner) un cadeau. Quand j'*étais* chez lui, il m'*a donné* un cadeau) : 1. Quand j'(être) chez lui, il me (donner) un cadeau. 2. Il (tomber) comme il (descendre) l'escalier. 3. Nous (manger) quand la bonne (annoncer) une visite. 4. Comme je (passer) devant la maison, je (voir) mon ami dans le jardin. 5. Elle (rencontrer) Solange comme elle (aller) au lycée. 6. Les roses (être) déjà en fleurs quand je (aller) voir ma tante. 7. Il (travailler) quand Maman (entrer) dans sa chambre. 8. Il (faire) beau quand nous (monter) sur la tour de Notre-Dame. 9. Je (voir) beaucoup de belles choses quand j'(habiter) Paris. 10. Bobette (avoir) huit ans quand je la (voir) pour la première fois. (pp. 253-4.)

Exercice VIII.

1. Écrivez les jours de la semaine et les mois de l'an.
2. Écrivez en toutes lettres : 15 ; 19 ; 28 ; 31 ; 100 ; 101 ; 200 ; 1000 ; 5000 ; 7541.
3. Quelle heure est-il ? 1.30 ; 2.15 ; 7.50 ; 11.35 ; 20.20 ; 24.0. (pp. 266-70.)

Exercice IX. Sujets de composition :

1. Promenade en ville.

(*a*) La saison — l'heure — le temps qu'il fait. (*b*) Les rues — magasins — objets dans les magasins — personnes — voitures. (*c*) Le parc — arbres — fleurs — enfants. (*d*) Rentrée à la maison. (p. 277.)

2. Promenade à la campagne.

(*a*) La saison — l'heure — le temps qu'il fait. (*b*) Les arbres — champs — fleurs. (*c*) Les oiseaux — les animaux. (*d*) Rentrée à la maison. (p. 283.)

Exercice X. Apprenez par cœur (p. 276) :

Une maison

Masc.	Fém.
le concierge	la loge (du concierge)
l'appartement	la pièce
le rez de chaussée	la porte (d'entrée)
l'entresol	la fenêtre
le 1er, 2e étage	la salle à manger
l'escalier	la salle de bains
l'ascenseur	la cuisine
le palier	la chambre (à coucher)
le vestibule	la sonnette
le salon	

entrer	acheter	frapper
monter	vendre	sonner
sortir	louer	admettre

XV. CHARLOTTE CORDAY

(*Scène. La Place de la Concorde, près d'un des grands bassins. Des enfants, autour du bassin, regardent leurs petits yachts, qui dansent sur les eaux. Leurs mères, assises auprès, sur des chaises ou des bancs, bavardent ou font leur ouvrage. Mme Lépine, Bobette et Miss England sont assises sur trois chaises et se reposent après leur promenade.*)

MME LÉPINE. La Place de la Concorde s'appelait autrefois la place Louis XV, car c'est lui qui l'avait créée, mais pendant la Révolution elle a reçu le nom de Place de la Révolution. Puis, en 1795 elle a reçu le nom de Place de la Concorde.

MISS ENGLAND. C'est bien ici qu'on avait dressé la guillotine ?

MME LÉPINE. Oui, Mademoiselle. Elle se dressait probablement de ce côté-là, car les historiens de l'époque nous disent que les condamnés regardaient toujours les splendeurs du soleil couchant au moment de leur mort.

BOBETTE. Je me souviens toujours de cela quand je lis l'histoire de Charlotte Corday ou de Madame Roland.

MME LÉPINE. Vous ne connaissez pas l'histoire de Charlotte Corday, Mademoiselle ?

MISS ENGLAND. Oh, si ! Quelle figure héroïque !

BOBETTE. N'est-ce pas, Mademoiselle ? Mais je la comprends très bien. Si, moi, j'avais vu mon pays terrorisé par un monstre comme Marat !

MISS ENGLAND. Oui, mais quel courage, de quitter sa ville de province si paisible et de venir seule à Paris pour mettre fin à la terreur qu'inspirait ce monstre ! Une jeune fille de dix-huit ans !

MME LÉPINE. En effet, c'était une héroïne, Mademoiselle. Vous connaissez sans doute le drame qu'a écrit un auteur du XIXe siècle pour célébrer son exploit et pour montrer sa belle âme ?

MISS ENGLAND. Non, Madame, je ne le connais pas.

MME LÉPINE. Je vous le prêterai, si vous voulez.

MISS ENGLAND. Je vous en prie, Madame. On peut se l'imaginer si bien, cette jeune fille, surtout ici, au moment où le soleil se couche.

(*Le soleil, comme un grand globe de flamme, vient de se coucher ; les ombres commencent à s'épaissir ; il fait frais ; les mères rentrent avec leurs enfants.*)

(D'après *Charlotte Corday*, de François Ponsard, 1814–67)

Scène I

(*Juin*, 1793. *Le coucher du soleil. La campagne près de Caen. A gauche, des arbres cachent la ville. Sur le devant de la scène, la grande route bordée par des prairies qui s'étendent jusqu'à la rampe. A droite, un tronc d'arbre renversé. A gauche, un pommier.* Charlotte Corday, *tenant un volume de Rousseau sous le bras ; à droite, des faneuses, retournant les foins ; à gauche, deux faucheurs coupant les herbes ; un troisième faucheur assis et aiguisant sa faux ; un quatrième faucheur, debout et appuyé sur sa faux.*)

CHARLOTTE (*au quatrième faucheur*). Oui, oui, Dieu soit loué ; les foins sont abondants et quand l'automne viendra, nous aurons beaucoup de cidre ; regardez donc le pommier ! (*Aux autres.*) C'est assez pour aujourd'hui ; il se fait tard. Faucheur, n'aiguisez plus votre faux. Faneuses, emportez vos râteaux. Au revoir, tous ; à demain.

LES FAUCHEURS. Bien, Madame ; nous recommencerons demain de bonne heure. Bonsoir, Madame.

LES FANEUSES. Merci, Madame ; bonsoir et bonne nuit. A demain, Madame. (*Ils sortent tous après avoir salué Charlotte. Elle s'assied sur le tronc d'arbre.*)

Scène II

(*Quatre hommes entrent à droite par la grande route. Ils ont l'air très fatigué.*)

1er. Mes amis, nous marchons depuis longtemps. Nous approchons sans doute de la ville.

2e. Nous pouvons demander à cette jeune femme. (*A Charlotte.*) Est-ce là le chemin qui mène à Caen, Madame ?

CHARLOTTE (*se levant*). Oui, c'est le chemin public, mais vous arriverez plus vite, citoyens, en passant par les prés ; prenez le sentier là-bas qui tourne à gauche.

3e. Madame, nous sommes étrangers ; nous avons marché longtemps. Est-ce que nous serons à Caen avant le crépuscule ?

CHARLOTTE. Mais oui, citoyen. Vous voyez ce rideau d'arbres verts ? Derrière ces arbres vous pouvez voir les toits de la ville qui fument dans la plaine.

4e. Merci, Madame. (*A ses compagnons.*) Vous voyez, les Dieux sont bons pour les proscrits. Marchons avec courage.

CHARLOTTE. Étranger, vous vous dites proscrits. Vous émigrez, sans doute ? Vous venez de Paris ?

4e. Nous en venons, Madame.

CHARLOTTE. Ah ! Dites-moi, je vous prie, ce qui arrive. On parle d'une lutte ?

4e (*gravement*). Elle est finie.

CHARLOTTE. Eh bien ? Quoi ? Qu'est-il arrivé ? Car nous ne savons rien ici.

2e. Marat triomphe.

CHARLOTTE. Oh, ciel !

2e. La Gironde est détruite.

CHARLOTTE. Dieu puissant !

4e. Et ses membres sont en fuite.

CHARLOTTE. Ah ! Que me dites-vous ! En êtes-vous bien sûr ?

4e. Je dis ce que j'ai vu.

CHARLOTTE. Parlez, parlez, citoyen.

(*Le 4e s'assied sur le tronc d'arbre ; les trois autres se tiennent auprès de lui.*)

4e. A la voix de Marat, le peuple s'est levé : Paris se remplit jour et nuit de citoyens en armes : on sonne le tocsin : cent mille hommes crient : Vive Marat !

CHARLOTTE. Alors c'est une autre révolution en honneur de Marat ?

4e. Oui, Madame.

CHARLOTTE. Mais dites-moi, ce Marat, comment est-il ?

4e. Madame, si à Paris vous rencontrez un homme, les bras nus, le bonnet rouge sur la tête, avec un sabre et des pistolets pendus à son ceinturon et qui crie sans cesse : " Il faut tuer ! Il faut tuer ! " — c'est Marat. Si vous voyez un homme qui harangue la multitude et qui encourage le peuple à piller les boutiques, c'est Marat. Il répète sans cesse qu'il faut tuer deux cent mille personnes pour sauver la patrie.

CHARLOTTE. Dieu puissant ! C'est un fou !

4e. Oui, Madame, c'est un fou, mais c'est un fou dangereux, car c'est l'homme le plus puissant de Paris.

CHARLOTTE. O Sainte Liberté ! Tu es trahie !

2e. Mais qui êtes-vous, jeune fille, qui parlez ainsi de la Liberté ?

CHARLOTTE. Moi ? Je ne suis qu'une humble villageoise. Mais je hais les tyrans : j'aime ceux qui combattent pour la Liberté ! Dites, vous êtes bien des proscrits, vous ?

4e. Oui, Madame, nous sommes condamnés à la

mort. Nous sommes Girondins. Nous cherchons un refuge.

CHARLOTTE. Salut ! vaillants soldats d'une noble cause ! Fils de la Liberté qui souffrez pour elle ! Moi, je vais vous procurer un toit. Suivez-moi, donc, citoyens, à la ville de Caen.

LES QUATRE. Nous vous suivons, Madame. Nous nous fions à vous. (*Ils sortent à gauche.*)

Scène III

(9 *heures du soir. Un salon dans la maison de Madame de Bretteville, tante de Charlotte et chez qui elle habite. Meubles du temps de Louis XIII.*

A gauche, Mme de Bretteville, une vieille dame et un vieux gentilhomme assis autour d'une petite table. Les dames travaillent à l'aiguille. A droite, à l'autre coin de la salle, trois vieilles amies et un vieil ami de Mme de Bretteville, jouant aux cartes. Une lampe à abat-jour vert sur la table de Mme de Bretteville. Une seule bougie sur la table de jeu.)

LA VIEILLE DAME. Mais où donc est Charlotte ?

MME DE BRETTEVILLE. Elle est allée aux prés.

LA VIEILLE DAME. Mais il est déjà nuit ! Les faucheurs sont rentrés.

MME DE BRETTEVILLE. C'est vrai. Je suis toujours nerveuse quand je sais qu'elle est seule. Les temps sont mauvais.

UNE AUTRE VIEILLE AMIE. On dit que Marat a juré que bientôt il guillotinera tous ceux qui croient en Dieu.

TOUS. Oh !

MME DE BRETTEVILLE (*au vieux gentilhomme*). C'est donc lui qui fait tout ?

LE VIEUX GENTILHOMME. Étant le plus féroce, il est le plus puissant.

MME DE BRETTEVILLE. Quel homme ! Quelle époque ! Comme tout est changé ! Moi, j'ai vu la cour au temps de ma jeunesse. J'ai vu la noblesse française et la Reine Antoinette et le Roi Louis XVI. Je me rappelle encore leur costume à tous deux, et comme ils saluaient les seigneurs autour d'eux. C'était beau !

(*Moment de silence — Au vieux gentilhomme.*)

Vous étiez à Paris, en ces temps malheureux ? Il doit être terrible là, à présent.

(*Les joueurs cessent un moment leur jeu pour écouter.*)

LE VIEUX GENTILHOMME. Ah ! Ce n'est plus Paris, la belle capitale ! Les magasins sont fermés ; pas de carrosses dans les rues. Chacun craint son voisin et reste dans sa maison, les passants glissent comme des ombres ; quelquefois on entend le tocsin ; alors on voit paraître des hommes inconnus, sauvages, demi-nus, qui passent — et toutes les portes se ferment.

MME DE BRETTEVILLE. Hélas ! Quand verrons-nous la fin de ces terreurs ? (*Charlotte entre.*) Tu reviens plus tard qu'à l'ordinaire, Charlotte ; il ne t'est rien arrivé ?

CHARLOTTE. Non, ma tante.

MME DE BRETTEVILLE. Le soir nous paraît long, quand nous ne t'avons pas. Tiens ; voilà des joueurs qui t'attendent là-bas.

CHARLOTTE. Oui, j'y vais. Mais, d'abord, permettez-moi. . . .

(*Elle va chercher un châle dont elle couvre les épaules de sa tante, puis elle s'agenouille devant elle et lui glisse un coussin sous les pieds.*)

Vos pieds sur ce coussin. Comment vous trouvez-vous ce soir ?

MME DE BRETTEVILLE. Bien, ma fille, merci. Mais regarde-moi donc ! Dieu ! comme tes yeux brillent ! (*Elle lui prend les mains.*) Tes mains sont chaudes ! . . . Qu'as-tu donc ?

CHARLOTTE (*se relevant et s'éloignant un peu*). Ce n'est rien. . . . La marche . . . le soleil . . .

MME DE BRETTEVILLE. Tu te fatigues trop, mon enfant ; tu t'exposes trop souvent au soleil. . . . Eh bien, a-t-on fauché ?

CHARLOTTE. Oh oui, ma tante, c'est presque fini. Et maintenant je vais préparer votre boisson du soir. (*Elle sort à gauche.*)

MME DE BRETTEVILLE (*au vieux gentilhomme*). Comment la trouvez-vous ?

LE VIEUX GENTILHOMME. C'est un ange.

(*Charlotte rentre, apportant une tasse qu'elle pose près de sa tante.*)

UNE DAME (*qui jouait, cédant sa place à Charlotte*). Assieds-toi, chère petite, et joue. On commence justement.

(*A ce moment on entend du bruit dans la rue. Charlotte va à la fenêtre.*)

CHARLOTTE (*tressaillant*). Écoutez ! Oh, mes amis, ce n'est pas l'instant de jouer ! Entendez-vous ces cris sauvages ? A cette heure, le crime triomphe et la Liberté pleure ! Marat est souverain ! Qui nous délivrera, mon Dieu, de ce bandit !

(*Tous se lèvent comme elle et écoutent le tumulte dans la rue. Le rideau tombe.*)

XV

Exercice I. Écrivez *ce*, *cet*, *cette* devant chacun des substantifs suivants : soldat, inconnu, cidre, province, sabre, fin, époque, ouvrage, terreur, faux, ombre, histoire, historien, pré, prairie, monstre, étranger, aiguille, châle, boisson. (p. 240.)

Exercice II. Écrivez au féminin : 1. Le compagnon de ce vieux gentilhomme est très gentil. 2. Il a vu cet étranger sur le chemin public. 3. Tous ces villageois sont paysans. 4. C'est un fou dangereux ! 5. Ce héros n'est pas cruel ; il est doux. (pp. 237, 243.)

Exercice III. Dans les phrases suivantes, remplacez les tirets par la forme convenable de *qui*, *que*, *dont* : 1. Vous voyez les arbres — sont là-bas ? 2. L'histoire — je vous raconte est vraie. 3. L'histoire — je vous parle est vraie. 4. Voici la dame — vous avez vue hier. 5. La lutte — vous parlez est finie. 6. Voyez-vous les toits — fument dans la plaine ? 7. Il va perdre le livre — il a lu vingt pages. 8. Regardez ces étrangers — passent. 9. C'est la dame — j'ai trouvé l'ouvrage. 10. Cet homme — crie sans cesse est Marat. (p. 249.)

Exercice IV. Dans les phrases suivantes, remplacez l'infinitif par la forme convenable de l'imparfait ou du passé composé. 1. La mère (faire) son ouvrage quand l'enfant (tomber) à l'eau. 2. Comme je (traverser) la

Place de la Concorde je (rencontrer) un ami. 3. Cette Place (s'appeler) autrefois la Place Louis XV. 4. Au moment où j'(entrer) au lycée j'(entendre) la grande horloge qui (sonner) l'heure. 5. Les autres (jouer) aux cartes quand nous (entrer). 6. Autrefois cette route (être) bordée d'arbres, mais on les (abattre). 7. La jeune fille (être) assise sur le tronc d'arbre quand je la (voir). 8. Pendant qu'elle (être) aux prés, son amie (venir) la voir. 9. Je (porter) souvent ce beau costume au temps de ma jeunesse. 10. Les paysannes (faner) au moment où je les (voir). (pp. 253-4.)

Exercice V. 1. Jouer. *Le joueur*. Formez ainsi des substantifs de : marcher ; porter ; faner ; faucher ; chanter ; travailler ; rêver ; voyager.

2. La pomme. *Le pommier*. Formez ainsi des substantifs de : la prune ; la cerise ; un abricot ; la mûre ; la poire ; la banane ; la châtaigne ; le citron.

Exercice VI. Dans les phrases suivantes, remplacez les substantifs par les pronoms convenables : 1. La dame est assise sur le tronc d'arbre. 2. Cet étranger porte un beau costume. 3. Charlotte aime ceux qui combattent pour la Liberté. 4. Suivez la jeune fille à la ville. 5. Le vieillard se fie à son compagnon. 6. Leur ami va procurer un refuge à ces émigrés. 7. N'avez-vous pas vu passer les soldats ? 8. Je hais le tyran, dit la jeune fille. 9. Marat encourage le peuple à piller les boutiques. 10. Le voyageur n'a-t-il pas vu les arbres ? (pp. 243-6.)

Exercice VII.

1. Écrivez les jours de la semaine.

2. Écrivez en toutes lettres les dates suivantes : 14.vii.1789 ; 20.vi.1791 ; 13.vii.1793 ; 28.vii.1794 ; 18.vi.1815.

3. Quelle heure est-il ? 12.0 ; 7.45 ; 3.30 ; 2.15 ; 10.50. (pp. 266-7.)

Exercice VIII. Répondez :

1. Nommez dix villes de province françaises.
2. Quel âge avez-vous ?
3. Qu'est-ce qu'un faucheur ?
4. Comment fait-on le cidre ?
5. Aimez-vous le cidre ?
6. Que fait-on avec un râteau ?
7. Où Caen est-il situé ?
8. Qu'est-ce qu'un sentier ?
9. Le toit. Nommez d'autres parties d'une maison.
10. Quelle est la population de votre ville ?
11. Nommez plusieurs sortes de boissons.
12. Quelle est la différence entre (*a*) un bonnet et un chapeau ; (*b*) un magasin et une boutique ?

Exercice IX.

1. Faites des définitions avec (Une faneuse est une . . .) une faneuse ; un émigré ; le crépuscule ; le tocsin ; un gentilhomme.

2. Écrivez douze phrases pour décrire la campagne en été. (p. 283.)

3. Faites un portrait de Charlotte Corday d'après les indications données dans les scènes que vous venez de lire.

Exercice X. Apprenez par cœur le vocabulaire suivant :

L'histoire

l'histoire (*f.*)
l'historien (*m.*)
l'époque (*f.*)
le héros
l'héroïne
le pays
la patrie
la république
la cause
la liberté
le courage
l'ennemi (*m.*)
l'étranger (*m.*)
l'émigré (*m.*)
le proscrit

écrire
décrire
raconter

public (*f.* publique)
historique
saint

Dans les prés

le pré
la prairie
l'herbe (*f.*)
le foin
le faucheur
la faneuse
la rosée
faner
faucher
couper
retourner
faire les foins

Dans le salon

jouer du piano
jouer aux cartes
broder
tricoter
faire son ouvrage
travailler à l'aiguille
lire
faire la lecture
boire du thé, du café etc.

RÉVISION

Exercice I. (Exemple : — couvercle — bahut. *Le* couvercle *du* bahut) : 1. — couvercle — bahut. 2. — fruit — dessert. 3. — âge — cathédrale. 4. — affiche — théâtre. 5. — Place — Concorde. 6. — râteau — faneuse. 7. — branche — pommier. 8. — histoire — époque. 9. — châle — dame. 10. — ombre — tilleul.

Exercice II. Écrivez au négatif : 1. Le receveur donne les billets à l'enfant. 2. Aujourd'hui elle va jouer au tennis, car il pleut. 3. A Paris, je marche sur la chaussée. 4. Il y a du cidre sur la table. 5. Avez-vous vu cette affiche ? 6. Voulant se baigner, ils se sont levés tard. 7. Servez-vous le premier à table. 8. Oubliez de déplier votre serviette. 9. Cet abominable enfant passe du pain à sa mère. 10. Avez-vous mis des verres sur la table ? (pp. 251-2.)

Exercice III. Dans les phrases suivantes, remplacez les tirets par la forme convenable du pronom : 1. Les étrangers avec — Charlotte parle sont proscrits. 2. Voici le petit garçon — est tombé à l'eau. 3. La place — j'ai est à l'intérieur. 4. — de ces deux chapeaux préférez-vous ? 5. Le banc sur — nous sommes assis est très vieux. 6. Les deux ouvriers avec — il parle n'ont pas de travail. 7. J'ai perdu le paquet — mon père m'avait dit de porter à la poste ! 8. — de ces deux petites filles est la plus jolie ? 9. Voici l'appartement — nous avons loué pour la saison. 10. Prenez la lanterne — est derrière la porte. (p. 249.)

Exercice IV.

1. Écrivez les jours de la semaine, les mois de l'an et la date d'aujourd'hui.
2. Je pars de Paris pour aller à Marseille. La distance est de 850 km. Mon auto fait 50 km. à l'heure. Combien d'heures me faudra-t-il pour faire le voyage ?
3. 10 bananes à 1 fr. 50 pièce ; 2 kilos de pommes à 6 fr. 50 le kilo ; 3 kilos de raisins à 2 fr. 75 le kilo. Faites l'addition.
4. 20 timbres de 90 ct. ; 10 timbres de 1 fr. 50 ; 6 timbres de 50 ct. Faites l'addition. Je paye avec deux pièces de 20 fr. et reçois ? (pp. 266-9.)

Exercice V. Dans les phrases suivantes, remplacez l'infinitif par la forme convenable de l'imparfait ou du passé composé : 1. Il (pleuvoir) quand je (sortir) de la maison. 2. Assis sur la margelle de la piscine, je (regarder) les nageurs quand on me (pousser) dans l'eau. 3. Pendant que nous (bavarder), le bébé (tomber) de sa petite voiture. 4. Nous (rendre) visite à notre oncle quand les pommes (être) bien mûres. 5. Je (suivre) la petite fille qui (porter) un panier plein de fleurs. 6. Nous (parler) avec les faneuses qui (travailler) dans les prés. 7. Nous (regarder) la scène quand les rideaux (se fermer). 8. Les arbres que nous (pouvoir) voir (être) près de Caen. 9. Je (s'asseoir) sous un chêne qui (être) au bord de la route. 10. Je (dormir) quand mon ami (venir) frapper à la porte. (pp. 253-4).

Exercice VI. Répondez :

1. Décrivez une salle à manger française.
2. En quelle saison fait-on les foins ?
3. Quelle est la différence entre une faneuse et une glaneuse ?

4. Avec quoi fait on le cidre ? le vin ?
5. Nommez la capitale de la France, de l'Angleterre, de l'Espagne et de l'Italie.
6. Quelle est la différence entre une diligence et un autocar ?
7. Nommez des journaux français.
8. Quelle est la différence entre un royaume et une république ?
9. Nommez dix villes de province françaises.
10. Nommez dix fleurs. (p. 283.)

Exercice VII. Dans les phrases suivantes, remplacez les tirets par la forme correcte de *celui*, *celle*, *ceux*, *celles* : 1. — qui veut faire une ascension se lève de bonne heure. 2. La mère donnera un gâteau à — qui sera sage. 3. — qui arrivent en retard manquent le train. 4. De ces deux livres je préfère — que tu as à la main droite. 5. Le gâteau que fait la mère est meilleur que — de sa fille. 6. — qui veulent travailler doivent aller à la cuisine. 7. Le beurre qu'on achète chez le marchand est moins bon que — qu'on trouve à la montagne. 8. Ce foulard est plus joli que — de mon frère. (p. 246.)

Exercice VIII. Donnez les adverbes qui correspondent avec : jeune, joli, gentil, long, bon, doux, heureux, pire, sec, vif. (p. 250.)

Exercice IX. Écrivez au pluriel : je me sers, je reprends, je révèle, je prolonge, je me relève, je sais, je choisis ; tu te promènes, tu souffres, tu dors, tu bats, tu fais, tu dis ; il survient, il punit, il apparaît, il salue, il détruit, il hait, il craint. (pp. 256-65.)

Exercice X. Composez des définitions pour (Exemple : Une ouvreuse est une femme qui —) : une ouvreuse, un alpiniste, un goéland, un marin, un apache, un concierge, un saint, un historien.

Exercice XI. Écrivez *ce*, *cet*, *cette* devant chacun des substantifs suivants : ouvrage, œuvre, cidre, pommier, pomme, héros, héroïne, ombre, époque, châle, costume, aiguille, tilleul, murmure, île, olive, chêne, concierge, beurre, bonté. (p. 240.)

Exercice XII. Répondez :

1. Où les dames portent-elles leurs mouchoirs ?
2. Quelle est la différence entre une cloche et une sonnerie ?

3. Comment les muets parlent-ils ?
4. Nommez des hors d'œuvre.
5. Avez-vous jamais visité un grand château ?
6. Aimez-vous l'histoire ?
7. Nommez des héroïnes françaises.
8. Entre quelles heures le rossignol chante-t-il ?
9. Y a-t-il une cathédrale dans votre ville ?
10. Qui dans votre famille découpe la viande ?

Exercice XIII. Écrivez au futur : je sais, je suis, je sers, je fais, je vais ; vous avez, vous connaissez, vous choisissez, vous riez, vous venez ; il peut, il veut, il doit, il met, il croit. (p. 252.)

Exercice XIV. Écrivez au pluriel : 1. Ce bel habit ne lui va pas. 2. Je viens de manger une poire et une belle pomme. 3. Veux-tu acheter un beau chou-fleur ? 4. Elle s'est promenée avec son amie. 5. Ma mère achète sa robe dans le principal magasin de la ville. 6. Connaît-il ce château célèbre ? 7. Donne-lui mon foulard ; il a froid. 8. Je me suis assis dans ma place. 9. Je mange un gros morceau de ce bon gâteau. 10. Vois-tu cette grande affiche ? (pp. 238, 243.)

Exercice XV. Sujets de composition :

1. Décrivez une journée d'été passée à la campagne à faire les foins.
2. Écrivez (au passé composé et à l'imparfait) l'histoire de Charlotte Corday.
3. Imaginez une journée passée à Paris en 1793. (pp. 274, 5.)
4. Le Jardin du Luxembourg. (Le parc — les fleurs — les oiseaux — les enfants — le grand bassin.)
5. Je mets la table pour le déjeuner. (p. 278.)

XVI. CHARLOTTE CORDAY
(Suite et Fin)

Scène I

(12 *juillet*, 1793. *Une rue de Caen. Devant une auberge, la diligence sur le point de partir. Charlotte entre. Elle est habillée simplement et porte un petit paquet à la main. Elle s'approche du postillon.*)

CHARLOTTE. Vous partez ce matin, citoyen ?

LE POSTILLON. Oui, citoyenne. Dans dix minutes.

CHARLOTTE. Il y a des places encore libres ?

LE POSTILLON. Oui, je crois qu'il y en a une, à l'intérieur. C'est pour Paris ?

CHARLOTTE. Oui, pour Paris.

LE POSTILLON. Eh bien, entrez au bureau ; on vous donnera votre place.

(*Charlotte entre à l'auberge.*)

Scène II

(13 *juillet*, 1793. *Le jardin du palais Égalité, à Paris. A gauche, les arcades et la ligne des tilleuls. A gauche, la boutique d'un coutelier, sous les arcades. A droite, des groupes de citoyens et de femmes du peuple. Les groupes sont agités ; on entend le murmure des conversations. Au fond, des bourgeoises sont assises sur des chaises et travaillent ; une petite fille joue aux pieds d'une jeune femme assise et brodant ; des vieillards lisent des journaux. Au lever du rideau, des petites filles dansent une ronde.*)

LES PETITES FILLES (*chantant*).

(Air de la ronde : " Nous n'irons plus au bois ;
Les lauriers sont coupés.")

C'est aujourd'hui dimanche ;
Allons cueillir au pré
La marguerite blanche
Et le bouton doré.
Le rossignol chante,
Sous la feuille il chante,
Pendant le mois de mai.

(*La ronde s'éloigne.*)

La rose était fleurie,
La rose et le muguet ;
J'en ai fait pour ma mie
J'en ai fait un bouquet.

Le rossignol chante
Sous la feuille il chante,
Pendant le mois de mai,
Pendant le joli mois de mai.

(*Les enfants disparaissent par le fond, en dansant.*)

1er CITOYEN (*s'approchant du groupe principal*). Savez-vous, citoyens, si la nouvelle est vraie ?

2e CITOYEN (*faisant partie du groupe*). Quoi donc ?

1er CITOYEN. Les Girondins sont en marche et seront demain à Paris !

2e CITOYEN. Les scélérats ! On va mettre le pauvre à la merci du riche.

1er CITOYEN. Qu'allons-nous devenir ?

2e CITOYEN. Qu'est-ce que nous allons faire ?

3e CITOYEN. Pourquoi vous le dire ? Vous n'avez pas assez de cœur pour le faire.

PLUSIEURS CITOYENS. Si ! Si !

2e CITOYEN. Monte sur la chaise et parle.

(*Le troisième citoyen monte sur une chaise. Tous les groupes se rapprochent de l'orateur.*)

L'ORATEUR. Répondez donc d'abord à cette question : Qui descend dans la rue, quand il y a du danger ?

LES CITOYENS. Nous !

L'ORATEUR. Qui se fait tuer ?

LES CITOYENS. Nous !

L'ORATEUR. Qui a pris la Bastille ?
LES CITOYENS. Nous !
L'ORATEUR. Alors c'est nous qui avons fait la Révolution ?
LES CITOYENS. Oui, Oui !
L'ORATEUR. Eh bien, sommes-nous mieux logés ?
LES CITOYENS. Non, vraiment.
L'ORATEUR. Mieux vêtus ?
LES CITOYENS. Non.
L'ORATEUR. Mieux nourris ?
LES CITOYENS. Non, non.
L'ORATEUR. Pendant que nous mourons de faim, les ennemis du peuple, eux, ont toujours du pain.
LES CITOYENS. C'est vrai.
L'ORATEUR. Les belles maisons, les bons repas, tout est pour les aristocrates.
LES CITOYENS. Canaille !

(*Pendant que l'orateur parle, des passants s'approchent et grossissent le groupe. La petite fille qui jouait aux pieds de sa mère vient vers le groupe et l'examine curieusement ; sa mère, entendant les cris des citoyens, court vers elle et la ramène au fond du théâtre.*)

L'ORATEUR. Est-ce juste ? Écoutez ce que dit Marat.

(*Il déploie le journal de Marat. A ce moment Charlotte traverse le théâtre et s'arrête pour écouter.*)

PLUSIEURS CITOYENS. Silence ! Silence ! Écoutez.

L'ORATEUR (*lisant le journal de Marat*). " Il n'est point de malfaiteurs aussi vils, aussi atroces que les scélérats de la Gironde. Ce sont des ennemis de la patrie. Ils veulent rétablir le despotisme. Il faut les tuer ! " (*Aux citoyens.*) Vous l'entendez.

(*Il lit.*) " Pauvre peuple ! Vous mourez de faim. Vous êtes en proie à une horde de scélérats. Il faut les tuer ! "

1er CITOYEN. C'est bien sûr.

2e CITOYEN. C'est la bonne manière.

4e CITOYEN. C'est cela ! Tuez-les tous !

(*Charlotte fait un geste d'indignation et se dirige vivement vers la boutique du coutelier. Arrivée à la porte elle hésite quelque temps avant d'entrer.*)

L'ORATEUR. Écoutez.

PLUSIEURS CITOYENS. Écoutez.

2e CITOYEN. Marat est notre ami.

LES CITOYENS. Vive Marat !

(*Charlotte entre chez le coutelier.*)

L'ORATEUR (*lit*). " Quand donc comprendrons-nous que la liberté ne peut être établie que par la violence ? "

LES CITOYENS. C'est cela ! En avant !

4e CITOYEN (*tirant son sabre et l'agitant au-dessus de sa tête*). Vive la liberté !

L'ORATEUR. Vous êtes tous des hommes ?

LES CITOYENS. Oui, oui.
L'ORATEUR. Eh bien, suivez-moi.
LES CITOYENS. Vive Marat ! Vive Marat ! Les aristocrates à la lanterne !

(*Ils sortent à droite en poussant des cris sauvages.*)

LES ENFANTS (*traversant de nouveau le fond du théâtre, en chantant leur ronde*).

Sur ton chapeau de paille,
Sur ton chapeau coquet,
Ou sur ta fine taille
Tu mettras mon bouquet.
  Le rossignol chante,
  Sous la feuille il chante,
  Pendant le mois de mai,
Pendant le joli mois de mai.

Dessus ma robe blanche,
Ton bouquet je mettrai
C'est aujourd'hui dimanche ;
Allons danser au pré.
  Le rossignol chante,
  Sous la feuille il chante,
  Pendant le mois de mai,
Pendant le joli mois de mai.

(*Ils disparaissent par le fond.*)

Scène III

LE COUTELIER (*sur le seuil de sa boutique, tenant à la main un couteau qu'il montre à Charlotte*). S'il vous faut un fort couteau, bien solide, prenez celui-ci ; il est bon. Regardez.

CHARLOTTE. Combien le vendez-vous ?

LE COUTELIER. Trois francs. Il est bon. Je puis vous le recommander.

(*Charlotte lui donne trois francs.*)

LE COUTELIER (*reprenant le couteau, qu'il essaye sur sa manche, et le rendant à Charlotte*). C'est pour vous, belle enfant, le bijou que voici ?

CHARLOTTE. C'est un cadeau.

LE COUTELIER. Bien, bien. Je plaisantais. Merci.

(*Il rentre dans son magasin.*)

Scène IV

(*Le cabinet de travail de Marat. Point de meubles; les murailles humides sont tapissées d'un vieux papier jaune déchiré, sur lequel sont collés çà et là des affiches, des proclamations, des journaux. Des volumes ouverts sont entassés sur le plancher. Des journaux fraîchement imprimés sèchent sur les chaises. A droite, sur le côté, une fenêtre s'ouvrant sur la rue. Au milieu du fond du théâtre, une salle de bains fermée par des rideaux. A gauche, une cheminée sur laquelle sont des papiers et un petit miroir. A gauche, une porte s'ouvrant sur l'escalier. A droite, une table chargée de papiers, de lettres, de journaux et de livres ; une écritoire en plomb et des plumes. Près de la table un vieux fauteuil et des chaises de paille. Marat assis, ou plutôt à demi couché d'un air souffrant, dans le fauteuil.*)

MARAT. Marche ! Marche ! Le peuple accourt ; le peuple arrive ; il est là. Moi, seul, je le conduis ; moi, seul, je sais où je vais. A moi seul appartient l'autorité suprême ! Je l'ai ; je la tiens ! C'est beau ! (*Il prend sur la table une plume qu'il regarde avec orgueil.*) C'est mon sceptre ! (*Il regarde autour de lui.*) Voilà mon palais ! (*Il va vers la fenêtre et l'ouvre.*) Et voilà mes États — la rue ! Bon peuple — il m'aime. Je suis son ami. Je suis grand ; je peux tout ! (*Il pose la main sur sa poitrine.*)

Mais je souffre — c'est ce pied blessé qui me fait souffrir. Quelle fièvre le brûle ! Quelque poison doit circuler dans mes veines ! Femme ! (*Albertine, femme de Marat, entre.*) Prépare-moi un bain bien chaud. Je veux laver ce pied à l'eau bien chaude. Cela me fera du bien.

(*Albertine sort, et revient quelques instants après.*)

ALBERTINE. Marat, voici ton bain.

MARAT. J'espère qu'il apaisera le feu qui consume mon pied. Merci.

(*Il entre dans la salle de bains, dont les rideaux se referment.*)

Scène V

(*Marat est dans la salle de bains, caché par les rideaux. Albertine attend près de la table.*)

LA VOIX DU CONCIERGE (*au bas de l'escalier*). Où vas-tu, citoyenne ? On n'entre pas !

(*Charlotte ouvre la porte à droite et paraît.*)

ALBERTINE. Quoi donc ! (*Elle va vers Charlotte.*) Que viens-tu faire ici ? L'on n'entre pas.

CHARLOTTE (*sur le seuil de la porte*). Pardon . . . Je voulais voir Marat.

ALBERTINE. Marat n'est pas visible.

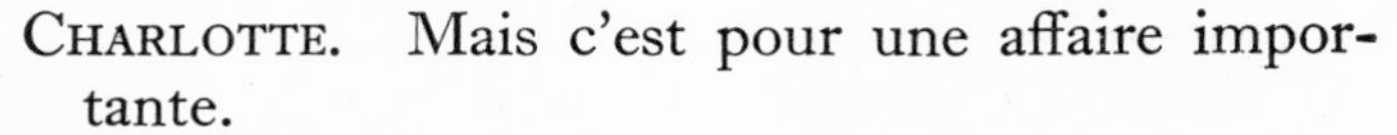

CHARLOTTE. Mais c'est pour une affaire importante.

ALBERTINE. Impossible.

CHARLOTTE. Dites-lui que je viens de Caen ; j'ai vu les Girondins ; je sais tous leurs secrets.

ALBERTINE. Dites-les-moi. Tu peux me parler comme à lui-même ; je suis sa femme.

CHARLOTTE. Vous ! (*A part.*) Grand Dieu ! Sa *femme* ! (*Moment de silence. Charlotte et Albertine se regardent.*)

ALBERTINE (*à part*). Elle se trouble ! Elle a quelque mauvais dessein : il y a tant d'assassins. (*A Charlotte.*) Arrière !

MARAT (*derrière le rideau*). Laisse entrer.

ALBERTINE. Mais . . .

MARAT. Laisse entrer, te dis-je. Approche, citoyenne.

CHARLOTTE (*à part, s'approchant du rideau*). O ciel ! Où vais-je ? Où suis-je ? J'ai peur !

MARAT. N'est-ce pas toi qui m'as écrit tantôt ?

CHARLOTTE. C'est moi.

MARAT. Ne tremble pas ; approche et parle haut. Que sais-tu ?

CHARLOTTE. Je ne puis rien dire qu'à vous-même.

MARAT. Laisse-nous, Albertine.

(*Albertine sort lentement, à gauche.*)

CHARLOTTE (*à part*). Ah ! c'est l'instant suprême déjà !

MARAT. Tu viens de Caen ? Eh bien ! Que faisaient les Girondins ?

CHARLOTTE. Ils marchent sur Paris.

MARAT. Combien d'hommes ?

CHARLOTTE. Dix mille.

MARAT. Ils seront tous guillotinés ! Attends, je vais écrire. Nomme les principaux ; va toujours ; c'est pour la guillotine.

CHARLOTTE (*entre éperdument dans la salle de bains, en tirant son couteau, et le plonge dans le cœur de Marat*). Meurs donc ! Meurs, scélérat !

MARAT. A moi ! L'on m'assassine !

(*Charlotte sort égarée, jette le couteau par terre avec horreur et reste immobile.*)

Scène VI

(*Albertine accourt au cri de Marat et écarte le rideau. Elle pousse un cri terrible.*)

ALBERTINE. Ah ! Au meurtre ! Au secours ! (*Elle ouvre la porte avec violence. Une foule entre.*) Au meurtre ! La voilà ! C'est elle !

(*On se précipite sur Charlotte ; deux ouvriers la saisissent chacun par un bras, d'autres vont vers la fenêtre et crient à l'assassin. Le théâtre se remplit d'hommes et de femmes qui menacent Charlotte. Un homme du peuple lève une chaise sur la tête de Charlotte, toujours tenue par les deux ouvriers, il s'apprête à la frapper.*)

VOIX (*dans la foule*). Tuez-la ! Tuez-la !

(*Le rideau tombe.*)

. . . .

(*Scène. Place de la Concorde, comme avant.*)

Miss England. Elle a été tuée comme ça ?

Mme Lépine. Non, elle a été guillotinée quatre jours après. On l'a habillée en rouge pour la mener à l'échafaud.

Bobette. Pourquoi, Maman ?

Mme Lépine. On faisait cela autrefois pour les personnes qui avaient tué leur père ou leur mère, et on considérait qu'en tuant Marat elle avait voulu tuer sa patrie. Et le soleil couchant d'un beau soir de juillet illuminait de ses derniers rayons la figure de la jeune fille comme elle montait avec un sublime courage sur l'échafaud.

XVI

Exercice I. (Exemple : — postillon — diligence. *Le* postillon *de la* diligence) : 1. — postillon — diligence. 2. — murmure — conversation. 3. — voix — rossignol. 4. — boutique — coutelier. 5. — lever — rideau. 6. — membre — groupe. 7. — geste — orateur. 8. — manche — habit. 9. — journal — matin. 10. — sceptre — roi.

Exercice II. Écrivez au singulier : 1. Ces couteaux sont de beaux cadeaux pour nos frères. 2. Où avez-vous vu ces bijoux ? 3. Les principaux journaux de ces villes paraissent tous les jours. 4. Voyez-vous ces châteaux derrière les rideaux de tilleuls ? 5. Ces cités sont situées sur des îles. 6. Ces héros haïssent les ennemis. 7. Connaissent-ils les amis de vos cousins ? 8. Eux, ils sont rentrés de bonne heure. 9. Ceux qui disent de telles choses se trompent. 10. Lesquels de ces articles préférez-vous ? (pp. 238, 243.)

Exercice III. Écrivez à l'imparfait : je lis ; j'appelle ; je jette ; j'ai ; je crains ; je mets ; je tiens ; je veux ; je lève ; je saisis ; il est ; il connaît ; il dit ; il va ; il finit ; il dort ; il vend ; il doit ; il boit ; il mange. (p. 253).

Exercice IV. Remplacez les substantifs par des pronoms personnels : 1. Charlotte s'approche du postillon. 2. Elle porte un petit paquet à la main. 3. Entrez au bureau ; on vous donnera votre place. 4. Nous n'irons plus au bois. 5. Sa mère court vers la petite fille. 6. Charlotte fait un geste d'indignation. 7. J'ai vu les Girondins. 8. Dites à Marat que je viens de Caen. 9. Deux ouvriers saisissent Charlotte. 10. La mère donne du muguet aux petites filles. (pp. 243-6.)

Exercice V. Répondez :

1. Qu'est-ce qu'une diligence ?
2. Que fait un postillon ?
3. Le tilleul. Nommez d'autres arbres.
4. Le rossignol. Nommez d'autres oiseaux. 
5. Qu'y a-t-il dans un journal ? Nommez des journaux français.
6. Où met-on les bouquets ?
7. Qu'est-ce qu'un orateur ? Où voyez-vous des orateurs ?
8. Le seuil de la maison. Nommez d'autres parties d'une maison. (p. 276.)
9. La rose. Nommez d'autres fleurs. (p. 283.)
10. Qu'est-ce qu'un coutelier ?

Exercice VI. Remplacez les tirets par la forme convenable du pronom relatif : 1. Voici les journaux — les paniers sont pleins. 2. La dame avec — il parle est sa sœur. 3. J'admire le courage avec — il harangue la foule. 4. Regardez le bouquet — ce monsieur offre à la dame. 5. Je vois l'indignation avec — Charlotte regarde l'orateur. 6. Les raisons pour — il fait ceci sont bonnes. 7. Le paquet — elle porte à la main est petit. 8. L'ami avec — je suis venu est un homme célèbre. 9. La bonté avec — elle m'a reçu m'a touché profondément. 10. Les hors d'œuvre avec — il a commencé son déjeuner étaient excellents. (p. 249.)

Exercice VII. Dans les phrases suivantes, remplacez les tirets par la forme convenable de *savoir* ou de *connaître* : 1. — -vous ce qui est arrivé ? 2. — -vous mon ami ? 3. Je ne — pas comment il s'appelle. 4. Je le — de nom seulement. 5. — -il nager ? 6. — -vous l'histoire de la petite Anna ? 7. Son père l'a — autrefois, à Caen. 8. — -vous le poème par cœur ? 9. Quand il a — la nouvelle, il est parti tout de suite. 10. — -vous planter les choux ?

Exercice VIII. Écrivez au futur : 1. Ce soir je vais au cinéma. 2. Le poison doit circuler. 3. Je suis grand ; je peux tout. 4. Je viens de Caen. 5. Charlotte ouvre la porte. 6. J'ai vu les Girondins. 7. Je sais leurs secrets. 8. Elle sort et jette le couteau par terre. 9. Ils la saisissent. 10. On faisait cela. (pp. 256-65.)

Exercice IX. Sujets de composition :

1. Imaginez une conversation entre Charlotte et une voyageuse assise à côté d'elle dans la diligence.

2. Rentrée chez elle, la mère de la petite fille raconte « Scène II » à son mari.

Exercice X. Apprenez par cœur la série :

1. Je vais à l'auberge du village.
2. Je vois l'autocar qui stationne devant l'auberge.
3. J'entre au bureau.
4. Je prends mon billet.
5. Je vais vers le chauffeur.
6. Je lui montre mon billet.
7. Je monte dans la voiture, mes paquets à la main.
8. J'y trouve une place.
9. Je m'assieds dans ma place.
10. Au bout de dix minutes, l'autocar part. (p. 284.)

XVII. SUR LE PONT-NEUF

Comme elles rentrent à pied, Madame Lépine, Bobette et Miss England s'arrêtent un moment sur le Pont-Neuf pour regarder les nombreux bateaux chargés de marchandises de toutes sortes qui remontent ou descendent la rivière.

" Oh, Maman," dit Bobette, " raconte un peu à Miss England ce que tu nous as raconté, à Paul et moi, un jour que nous allions avec toi à Notre-Dame."

" Qu'est-ce que c'était ? " demande Miss England.

" Oh, Maman, tu te rappelles — tu nous as décrit la foule — les boutiques — tout ce qui était autrefois sur le Pont-Neuf."

" En effet, Madame, ce doit être très intéressant pour moi," ajoute Miss England. " Si vous voulez bien . . ."

“ Eh bien,” commence Madame Lépine. “ Autrefois, au Moyen Age et même au dix-septième siècle, le Pont-Neuf était l’endroit le plus agréable de Paris, et on y allait pour flâner et pour s’amuser.

“ Vous voyez la statue du bon Roi Henri IV, là-bas ? C’est notre roi le mieux aimé, Mademoiselle ; vous avez entendu parler de lui ? ”

“ C’est bien lui qui a dit qu’il voulait voir chaque paysan mettre un poulet dans son pot le dimanche? ”

“ Oui, c’est celui-là. Quand il est mort, assassiné, en 1610, la Reine, sa veuve, a eu l’idée de monter la statue du bon Roi sur un cheval de bronze qu’elle avait reçu en cadeau de son parent, Cosme de Médicis.

“ Le Pont-Neuf était alors une foire perpétuelle. Il n’était pas bordé de maisons comme les autres ponts, mais il y avait de chaque côté des trottoirs élevés et sur ces trottoirs on dressait des plate-formes de toutes sortes. Quelquefois c’étaient des loteries ; d’autres fois des charlatans, qui vendaient des onguents et des potions de toutes sortes, des remèdes universels, bons à guérir toutes les maladies. Puis il y avait des arracheurs de dents ; ceux-ci avaient toujours un tambour et les roulements du tambour couvraient les cris et les hurlements des malheureux patients.”

“ Quelle bonne idée ! ” dit Bobette en riant.

“ N’est-ce pas ? Mais il y avait aussi de petits théâtres, vous savez.”

“ Des théâtres de marionnettes, Maman ? ”

“ Oui, mais aussi de vrais théâtres, où l’on jouait des farces. Il y en avait qui étaient très célèbres, comme celui du gros Tabarin. On dit que quand Molière était petit garçon il venait souvent au Pont-Neuf pour voir et pour écouter les farces qu’on y jouait. Il était orphelin ; il avait perdu sa mère ; son père avait un magasin de drap, tout près ; alors le petit garçon venait avec son grand-père flâner sur le Pont-Neuf et passer beaucoup de moments heureux à regarder les tours comiques de Tabarin ou de Turlupin.”

“ On en voit l’influence dans ses comédies,” dit Miss England.

“ Oui, il aime beaucoup se moquer des charlatans et des vendeurs de remèdes, n’est-ce pas, Mademoiselle ?

“ Sur le Pont-Neuf il y avait aussi sans doute beaucoup de voleurs et de mauvais garçons de toutes sortes. Très souvent on perdait sa bourse ou sa montre, et il était presque impossible de faire arrêter le voleur, car il se perdait vite dans la foule de personnes qui se bousculaient.

“ On y jouait toute sorte de tour. Il y avait, disait-on, un groupe de jeunes gens qui avaient dressé un vilain petit chien à rouler dans la boue, puis à aller se frotter contre les jambes des passants. Alors ceux-ci venaient à ses maîtres qui offraient leurs services pour brosser les habits et les souliers.

“ Car les rues étaient pleines de boue. C’est pour cela qu’on avait inventé les chaises à porteurs. Alors quand les belles dames et les beaux seigneurs, vêtus de leurs costumes de velours et de satin, voulaient sortir, ils étaient transportés dans ces chaises par des porteurs aux bras solides, et ne craignaient pas de souiller leurs beaux souliers à boucles d’argent.

“ Il y avait aussi des vendeurs de toutes sortes. C’étaient nos premiers camelots et marchands des quatre saisons, Mademoiselle.”

“ Oh, que j’aime ces marchands ! ” dit Miss England. “ Ils sont si amusants et quelquefois si spirituels; je m’arrête souvent sur les boulevards pour les écouter.”

“ Ils sont assez nombreux aujourd’hui, mais il y en avait beaucoup plus autrefois,” continue Mme Lépine. “ Ils vendaient toutes sortes de choses — des fruits — des poissons — des fromages — des gâteaux. Ils criaient tout le temps : ‘ Ah ! mes beaux fruits ! Ah ! mes beaux fruits ! ’ ; ou ‘ Gâteaux ! Gâteaux ! Pâtés chauds ! ’ ; ou ‘ Fromage à la livre ! Fromage à la livre ! ’ Ils poussaient leurs petites charrettes au milieu de la foule et ne craignaient rien, même les voleurs.

“ Puis il y avait les mendiants, les aveugles, les boiteux, qui passaient la nuit dans la fameuse Cour des Miracles et venaient le jour gagner leur vie sur le Pont-Neuf, dans les rues, ou devant le portail de la Cathédrale.”

“ Oh, Maman, dis, pourquoi est-ce qu’on disait la ‘ Cour des Miracles ’ ? ” demande Bobette.

“ Parce que beaucoup de ces mendiants n’avaient pas de maladie du tout, ma petite ; alors, si on avait le courage de pénétrer, la nuit, dans cette cour où ils habitaient — ce qui, d’ailleurs, était très dangereux — on voyait des boiteux qui ne boitaient plus, mais qui couraient, sautaient ou dansaient comme toi — des aveugles qui voyaient extrêmement bien et des muets qui criaient et qui chantaient à tue-tête ! ”

“ Il y en a une belle description dans le roman de Victor Hugo, ‘ Notre-Dame de Paris,’ ” dit Miss England. “ Vous le connaissez, Bobette ? ”

“ Pas encore,” dit Bobette. “ Mais je vais le lire ; Papa a promis de me le donner pour le jour de l’an. Mais, Maman, il n’y avait pas alors d’agents de police, si ces mendiants étaient si nombreux et si impudents ? ”

" Il y avait le Guet, Bobette ; seulement, le Guet allait toujours en troupe. Alors, quand le Guet était passé, les malfaiteurs étaient tranquilles ; ils faisaient ce qu'ils voulaient. Et les rues étaient très dangereuses la nuit, car elles n'étaient éclairées que par des lanternes suspendues à chaque coin. C'étaient les bourgeois eux-mêmes qui y mettaient une grosse bougie, au crépuscule ; mais une fois la bougie éteinte, les rues étaient noires. Personne ne sortait seul, car c'était trop dangereux."

" C'était très pittoresque," dit Miss England, " mais, comme vous dites, Madame, très dangereux ; je préfère visiter Paris au vingtième siècle, moi."

" Et moi aussi," dit Bobette, " je suis contente de vivre au vingtième siècle, c'est plus confortable et c'est mieux éclairé ! "

" Oui," dit Madame Lépine, " Mais comme c'est beau d'habiter une ville historique comme notre Paris et de pouvoir s'imaginer la vie de ceux qui l'habitaient autrefois."

XVII

Exercice I. Écrivez *ce*, *cet*, *cette*, devant chacun des substantifs suivants : bateau ; endroit ; poisson ; potion ; onguent ; boue ; troupe ; bougie ; rivière ; reine ; agent de police ; description ; jambe ; influence ; argent ; part ; aveugle ; poire ; vendeur ; montre. (p. 240.)

Exercice II. Écrivez au féminin : 1. Ce gros vendeur est très spirituel. 2. Ce malheureux enfant est orphelin de son père. 3. Monsieur est veuf depuis deux ans. 4. Cet étranger est un héros célèbre. 5. Celui-ci est le premier ; mais il est muet. 6. Mon cher, dit-il, vous êtes bien coquet. (pp. 237, 242.)

Exercice III. Complétez (Exemple : C'est — — grand homme — village. C'est *le plus* grand homme *du* village) : 1. C'est — — grand homme — village. 2. Jean est — grand — moi ; mais André est — — grand — tous. 3. Cet enfant est — petit — son père, mais le bébé est — — petit — la famille. 4. La fillette est — grande — sa mère. 5. Ce gâteau-ci est bon, mais celui-là est —. 6. Ce roi est bien aimé, mais Henri IV était le — aimé des Français. 7. J'aime — voyager — rester à la maison. 8. C'est l'homme — — célèbre — ville. (pp. 239-40).

Exercice IV. Écrivez au pluriel : tu dois ; tu dors ; tu dis ; tu te lèves ; tu mets ; tu détruis ; tu sers ; tu sors ; tu suis ; tu fais ; elle craint ; elle disparaît ; elle bat ; elle choisit ; elle va ; elle veut ; elle vient ; elle voit ; elle conduit ; elle hait. (pp. 256-65.)

Exercice V. Dans les phrases suivantes, remplacez les tirets par la forme convenable de *ce qui*, *ce que*, *ce dont* (Exemple : Je me demande — — on dit de moi. Je me demande *ce qu'*on dit de moi) : 1. Je me demande — — on dit de moi. 2. Dites-moi — — est arrivé. 3. Dites-moi — — vous avez vu. 4. Dites-moi — — il parle. 5. Raconte — — tu as raconté la première fois. 6. Il est tombé ; — — est très désagréable pour lui. 7. — — j'aime surtout, c'est la musique. 8. Tout — — arrivait autrefois est très intéressant. 9. — — j'ai besoin, c'est une aiguille. 10. Tout — — brille n'est pas d'or. (p. 249.)

Exercice VI. Remplacez les substantifs par des pronoms personnels : 1. Mme Lépine et Bobette s'arrêtent sur le Pont-Neuf pour regarder les bateaux. 2. Voyez-vous la statue là-bas ? 3. Je n'aime pas les charlatans. 4. Les rues étaient pleines de boue. 5. Le beau seigneur se fait transporter à sa maison. 6. Ne craignez-vous pas les voleurs ? 7. Le petit garçon ne veut pas aller à la foire sans son grand-père. 8. Voulez-vous choisir un fruit ? 9. Les mendiants passaient la nuit dans la Cour des Miracles. 10. M. Lépine va donner un roman à Bobette pour son anniversaire. (pp. 243-6.)

Exercice VII. Répondez :

1. Est-ce que votre ville est située au bord d'une rivière ?
2. Rentrez-vous à pied, par l'autobus ou par le train ?
3. Qui est le roi d'Angleterre ?
4. Qu'est-ce que le trottoir ?
5. Que fait un charlatan ?
6. Qu'est-ce qu'un marchand des quatre saisons ? (p. 282.)
7. Combien de dents avez-vous ?

8. Quelle heure est-il à votre montre ?
9. Qu'est-ce qu'un orphelin ?
10. Comment sont vos souliers ?
11. Qu'est-ce qu'une chaise à porteurs ?
12. Que fait un aveugle pour marcher ?

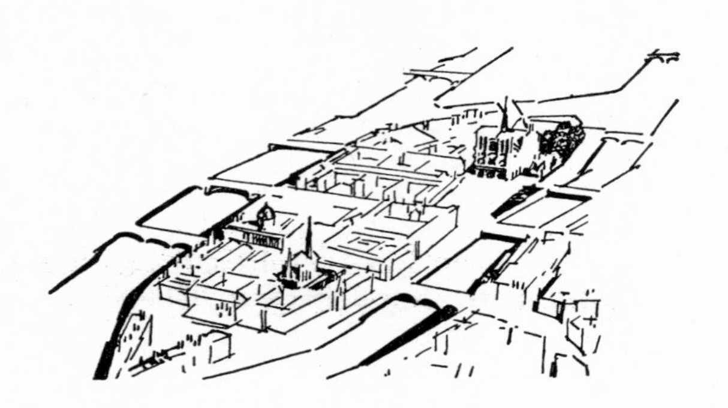

Exercice VIII. Dans les phrases suivantes, remplacez l'infinitif par la forme convenable de l'imparfait ou du passé composé : 1. Comme nous (rentrer) je lui (demander) de me raconter son aventure. 2. Quand les rues (être) noires les voleurs (faire) ce qu'ils (vouloir). 3. Comme il (se lever), sa chaise (se renverser). 4. L'enfant (tomber) à l'eau comme il (regarder) les bateaux. 5. Répétez ce que vous me (raconter) quand nous (aller) à Notre-Dame. 6. Que (voir)-vous quand vous (être) à Paris ? 7. Quand je (sortir) avec ma mère, je (mettre) toujours mon plus joli chapeau. 8. Quand j'(être) dans la Cour des Miracles hier soir, je (voir) beaucoup de mendiants. 9. Comme je (passer) ce matin par le jardin, je (cueillir) une rose. 10. Dites-moi ce que vous (voir) quand vous (se promener) dans la Place de la Concorde. (pp. 253-4.)

Exercice IX. Sujets de composition :

1. Paris autrefois.

(1) Le jour — les rues — les maisons — les personnes.
(2) La nuit — les rues — les personnes. (p. 275.)

2. Dialogue entre le jeune Molière et son grand-père, sur le Pont-Neuf.

3. Dialogue dans une pharmacie.

Exercice X. Apprenez par cœur :

Dans la rue	A la pharmacie
la chaussée	le pharmacien
le trottoir	la médecine
le passant	la drogue
la maison	la potion
le magasin	l'onguent (*m.*)
la boutique	le remède
le client	l'ordonnance
le marchand	donner une ordonnance
les marchandises (*f.*)	préparer une ordonnance
faire des emplettes	le parfum
le vendeur	la crème
le charlatan	la poudre
le camelot	le dentifrice
le marchand des quatre saisons	abominable
l'agent de police	détestable
le mendiant	agréable
le boiteux	tuer
l'aveugle	guérir
acheter	
vendre	
perdre	
voler	
donner	

XVIII. LE MÉDECIN MALGRÉ LUI

(*D'après* Molière, 1622–73)

Scène I

(*Dans une forêt. Sganarelle, assis sur un tronc d'arbre. Çà et là, des fagots qu'il vient de faire. Auprès de lui sa femme, Martine, l'air furieux.*)

SGANARELLE. Non, je te dis que je ne veux plus travailler, et que c'est à moi de parler et d'être le maître.

MARTINE. Et je te dis, moi, que c'est moi qui suis le maître et que je ne me suis pas mariée avec toi pour souffrir tes caprices.

SGANARELLE. Oh, la grande fatigue que d'avoir une femme ! Aristote a bien raison quand il dit qu'une femme est pire qu'un démon !

MARTINE. Voyez un peu l'habile homme, avec son benêt d'Aristote.

SGANARELLE. Oui, habile homme. Trouve, si tu peux, un faiseur de fagots aussi doué que moi, qui ai servi six ans un fameux médecin et qui ai appris du latin en son jeune âge.

MARTINE. Peste du fou ! Que maudits soient l'heure et le jour où j'ai été assez folle pour dire oui.

SGANARELLE. Hé ! Tu as été bien heureuse de me trouver, toi !

MARTINE. Qu'appelles-tu bien heureuse de te trouver ? Un homme comme toi qui m'as réduite à la misère, qui manges tout ce que j'ai.

SGANARELLE. Tu as menti ; j'en bois une partie !

MARTINE. Qui vend pièce à pièce tout ce qui est dans la maison, même le lit que j'avais.

SGANARELLE. Tu te lèveras plus tôt le matin.

MARTINE. Enfin qui ne laisse aucun meuble dans toute la maison.

SGANARELLE. On en déménage plus aisément.

MARTINE. Et qui, du matin jusqu'au soir, ne fait que jouer et que boire.

SGANARELLE. C'est pour m'amuser.

MARTINE. J'ai quatre pauvres enfants sur les bras.

SGANARELLE. Mets-les à terre.

MARTINE. Qui me demandent à toute heure du pain.

SGANARELLE. Donne-leur le fouet.

MARTINE. Et tu veux continuer comme ça, ivrogne que tu es.

SGANARELLE. Ma femme, doucement, s'il te plaît ; j'ai le bras assez bon, comme tu sais.

MARTINE. Je me moque de tes menaces.

SGANARELLE. Ma petite femme, ma chère moitié, je vais vous battre.

MARTINE. Sac à vin !

SGANARELLE. Je vais vous battre, vous dis-je.

MARTINE. Traître ! Insolent ! Lâche ! Coquin ! Voleur !

SGANARELLE. Ah ! Vous en voulez donc ?

(*Il prend un bâton et bat sa femme.*)

MARTINE (*criant*). Ah ! Ah ! Ah ! Ah !

SGANARELLE. Voilà le vrai moyen de vous apaiser.

Scène II

(*Entre Robert, voisin de Sganarelle.*)

ROBERT. Holà ! Holà ! Holà ! Fi ! Qu'est ceci ? Ah, le coquin, de battre ainsi sa femme !

MARTINE. Et si je le veux, moi ? De quoi vous mêlez-vous ?

ROBERT. J'ai tort.

MARTINE. Est-ce là votre affaire ?

ROBERT. Vous avez raison.

MARTINE. Voyez un peu cet impertinent qui veut empêcher les maris de battre leurs femmes !

ROBERT. Je me rétracte.

MARTINE. Est-ce à vous d'y mettre le nez ?

ROBERT. Non.

MARTINE. Mêlez-vous de vos affaires.

ROBERT. Je ne dis plus mot.

MARTINE. Il me plaît d'être battue.

ROBERT. D'accord.

MARTINE. Ce n'est pas à votre dépense.

ROBERT. Il est vrai.

MARTINE. Et vous êtes un sot d'être venu. (*Elle lui donne un soufflet.*)

ROBERT (*à Sganarelle*). Compère, je vous demande pardon de tout mon cœur. Battez comme il faut votre femme ; je vous aiderai, si vous voulez.

SGANARELLE. Il ne me plaît pas, moi.

ROBERT. Ah ! c'est une autre chose.

SGANARELLE. Je veux la battre, si je le veux ; et ne veux pas la battre, si je ne le veux pas.

ROBERT. Fort bien.

SGANARELLE. C'est ma femme et non pas la vôtre.

ROBERT. Sans doute.

SGANARELLE. Je n'ai pas besoin de votre aide.

ROBERT. D'accord.

SGANARELLE. Et vous êtes un impertinent de vous mêler des affaires des autres. C'est Cicéron qui le dit.

(*Il bat Robert et le chasse.*)

Scène III

SGANARELLE. Allons, faisons la paix nous deux. Touche là. (*Il tend la main.*)

MARTINE (*ne la prend pas*). Oui, après m'avoir battue !

SGANARELLE. Cela n'est rien. Touche.

MARTINE (*refuse*). Je ne veux pas.

SGANARELLE. Hé ?

MARTINE. Non.

SGANARELLE. Ma petite femme !

MARTINE. Point.

SGANARELLE. Viens, viens. C'est une bagatelle.

MARTINE. Laisse-moi là.

SGANARELLE. Touche, te dis-je ; je te demande pardon ; mets là ta main.

MARTINE (*donne la main*). Je te le pardonne. (*Bas, à part.*) Mais tu me le payeras.

SGANARELLE. Cinq ou six coups de bâton, ce n'est rien entre gens qui s'aiment. Va, je m'en vais au bois, je te promets aujourd'hui plus de cent fagots. (*Il sort.*)

MARTINE. Va, je n'oublierai pas mon ressentiment, je te punirai des coups que tu m'as donnés.

Scène IV

(*Entrent Lucas et Valère, domestiques de Géronte.*)

LUCAS. Eh bien, camarade, c'est une commission bien difficile qu'on nous a donnée ; je ne sais pas comment nous ferons.

VALÈRE. Que veux-tu, mon ami ? Il faut bien obéir à notre maître. C'est la maladie de sa fille qui fait différer son mariage. Il est vrai qu'elle préfère un certain Léandre, mais son père a décidé pour Horace, qui est riche et très libéral.

MARTINE (*se croyant seule*). Ne puis-je pas trouver quelque invention pour me venger ?

LUCAS. Mais quelle idée de notre maître de nous envoyer chercher un médecin dans cette forêt !

VALÈRE. On trouve quelquefois, tu sais, à la campagne ce qu'on a bien cherché dans la ville.

MARTINE. Oui, il faut que je me venge de ces coups de bâton. . . . (*heurtant Lucas et Valère*). Ah, messieurs, je vous demande pardon ! Je ne vous voyais pas . . . je cherchais dans ma tête. . . .

VALÈRE. Chacun a ses soins dans ce monde, et nous cherchons aussi. . . .

MARTINE. Puis-je vous aider, peut-être ?

VALÈRE. Il est bien possible ; nous voulons rencontrer quelque habile homme, quelque médecin capable de guérir la fille de notre maître. Elle a été attaquée d'une maladie qui l'a rendue tout d'un coup muette. Beaucoup de médecins ont essayé déjà de la guérir, mais en vain. Quelquefois on trouve des gens avec des secrets merveilleux qui font ce que les autres ne savent pas faire et c'est là ce que nous cherchons.

MARTINE (*bas, à part*). Ah ! Le ciel m'inspire une admirable invention pour me venger de mon coquin de mari ! (*Haut.*) J'ai juste ce que vous cherchez ! Nous avons ici un homme, le plus merveilleux homme du monde pour les maladies désespérées.

VALÈRE. Ah ! De grâce, où pouvons-nous le rencontrer ?

MARTINE. Vous le trouverez maintenant tout près ; il s'amuse à couper du bois.

LUCAS. Un médecin qui coupe du bois ?

VALÈRE. Qui s'amuse à cueillir des simples, voulez-vous dire ?

MARTINE. Non, non ; c'est un homme extraordinaire qui se plaît à cela. Il porte le costume le plus extraordinaire ; il veut faire croire qu'il est ignorant et il refuse presque toujours d'exercer les grands talents que Dieu lui a donnés pour la médecine.

VALÈRE. C'est une chose extraordinaire que tous les grands hommes ont toujours des caprices — quelque petit grain de folie mêlé à leur science.

MARTINE. La folie de celui-ci est la plus grande de toutes, car, voyez-vous, il veut toujours être battu avant de vouloir exercer ses talents, et je vous avertis qu'il commencera par dire qu'il n'est pas médecin du tout. Quand vous l'aurez bien battu, il confessera ce qu'il a voulu cacher — mais pas avant.

VALÈRE. Voilà une étrange folie !

MARTINE. Il est vrai, mais après cela, vous verrez qu'il fera des merveilles.

VALÈRE. Comment s'appelle-t-il ?

MARTINE. Il s'appelle Sganarelle. Mais il est aisé à connaître. C'est un homme qui a une grande barbe noire et qui porte un habit jaune et vert.

LUCAS. Un habit jaune et vert ? C'est donc le médecin des perroquets ?

VALÈRE. Mais est-il vraiment si habile que vous dites ?

MARTINE. Comment ! C'est un homme qui fait des miracles ! Il y a six mois, une femme de notre village a été abandonnée de tous les autres médecins ; on la croyait morte ; on allait la porter au cimetière, lorsqu'on a fait venir de force l'homme dont nous parlons. Il l'a regardée, lui a mis dans la bouche une petite goutte de quelque chose et dans le même instant, elle se lève de son lit en souriant et se met à se promener dans sa chambre comme vous ou comme moi !

LUCAS. A-a-a-a-ah ?

VALÈRE. C'était peut-être une potion magique ?

MARTINE. C'est bien possible. Et autre chose. Il y a trois semaines, un jeune enfant de douze ans est tombé du haut du clocher en bas et s'est brisé sur le pavé la tête, les bras et les jambes. On amène notre homme qui lui frotte le corps avec un certain onguent qu'il sait faire ; et aussitôt, l'enfant se lève sur ses pieds et court jouer à la fossette !

LUCAS. A-a-a-a-a-a-a-ah ?

VALÈRE. Cet homme-là a sans doute la médecine universelle.

MARTINE. Qui en doute ?

LUCAS. C'est justement l'homme pour nous ! Allons vite le chercher.

VALÈRE. Nous vous remercions de cette bonté.

MARTINE. Mais souvenez-vous du bâton ! (*Elle leur donne deux formidables bâtons.*)

LUCAS. Oh, laissez-nous faire ! Si c'est là tout, nous l'aurons, notre homme !

VALÈRE. Quelle chance pour nous d'avoir rencontré cette bonne femme !

XVIII

Exercice I. (Exemple : — tronc — arbre. *Le* tronc *de l'*arbre) : 1. — tronc — arbre. 2. — lit — voisin. 3. — couleur — perroquet. 4. — voix — paix. 5. — caprice — femme. 6. — miracle — science. 7. — dépense — bouche. 8. — misère — aveugle. 9. — goutte — ordonnance. 10. — faiseur — fagots.

Exercice II.

1. Écrivez en toutes lettres : 5, 16, 75, 80, 94, 200 ; additionnez ; écrivez le total.

2. Additionnez : 7 fr. 50, 14 fr. 10, 0 fr. 90, 34 fr. 75. Je donne un billet de 100 fr. et reçois ?

3. Dans un bureau de poste j'achète 15 timbres de 0 fr. 90, 10 timbres de 1 fr. 50, 5 timbres de 0 fr. 50. Je donne un billet de 50 fr. et reçois les timbres et ?

4. Je mène un groupe de 30 élèves à la campagne. Le billet, 3e classe, aller et retour, coûte 3 fr. 50, mais les enfants sont au-dessous de 16 ans et voyagent à demi-tarif. Combien dois-je payer, pour nous tous ? (pp. 268, 270.)

Exercice III. Écrivez au pluriel : je vois ; je crois ; je dois ; je veux ; je viens ; je pars ; je jette, je mange ; je m'assieds ; j'espère ; il est ; il sait ; il met ; il fait ; il se tait ; il craint ; il a ; il va ; il voit ; il finit.

Exercice IV. Répondez :

1. Que fait-on dans un lit ?
2. Que venez-vous de faire ?
3. Apprenez-vous le latin ?
4. Comment est Sganarelle ?
5. Qu'y a-t-il dans un clocher ?
6. Qu'est-ce qu'un faiseur de fagots ?
7. Comment est la femme de Sganarelle ?

8. Qu'est-ce qu'un perroquet ?
9. Qu'avez-vous fait il y a trois jours ?
10. Quel âge avez-vous ?

Exercice V. Dans les phrases suivantes, remplacez l'infinitif par la forme convenable du présent ou du futur (Exemple : Je vous (aider) si vous (vouloir). Je vous *aiderai* si vous *voulez*) : 1. Je vous (aider) si vous (vouloir). 2. Quand il (venir), dites-lui que je l'(attendre) à la porte du théâtre. 3. Si vous (continuer), je vous (battre). 4. J'(avoir) treize ans lundi prochain. 5. Je ne (savoir) pas comment nous (faire) notre commission. 6. Si nous (chercher) dans la forêt, nous (trouver) peut-être ce que nous (chercher). 7. Quand j'(avoir) 21 ans, je (être) homme. 8. Si vous (vouloir) m'accompagner, nous (aller) ce soir au cinéma. (pp. 253, 256-65.)

Exercice VI. Remplacez l'infinitif par la personne convenable du verbe (Exemple : C'est moi qui (être) le maître. C'est moi qui *suis* le maître) : 1. C'est moi qui (être) le maître. 2. Un homme comme toi, qui m'(avoir) réduite à la misère. 3. C'est Sganarelle qui (être) le faiseur de fagots. 4. Vous qui (être) mon ami, aidez-moi à battre ma femme ! 5. Moi, qui (avoir) servi six ans un fameux médecin. 6. C'est nous qui (être) tombés. 7. Dire que je ne vous ai pas vu, vous qui (faire) tout pour moi ! 8. C'est moi qui (avoir) été surpris ! (p. 247.)

Exercice VII. Exprimez d'une autre façon (Exemple : Touche là ! *Donne-moi la main !*) : 1. Touche là ! 2. Sac à vin ! 3. C'est une bagatelle. 4. Sganarelle est un faiseur de fagots. 5. Un oiseau qui porte un habit jaune et vert. 6. Un homme qui donne des potions à guérir toutes les maladies. 7. Un benêt. 8. Chanter à tue-tête. 9. Un arracheur de dents. 10. Un camelot.

Exercice VIII. Remplacez les tirets par la forme convenable de *mauvais*, *pire*, *mal*, *pis* : 1. Une femme est — qu'un démon. 2. Il l'a fait bien, mais elle l'a fait —. 3. C'est un — garçon. 4. Il se conduit —. 5. Mais il est — que moi! 6. Cet homme va finir —. (pp. 240, 251.)

Exercice IX. Sujets de composition :

1. Rentré chez lui, Robert raconte à sa femme sa dispute avec Sganarelle et sa femme.
2. Décrivez la scène dans la forêt avant l'entrée de Martine.

Exercice X. Apprenez :

Dans la forêt

le bois	le chêne
un arbre	le sapin
le tronc	le mélèze
la branche	le bouleau
la brindille	le frêne
la feuille	le hêtre
la mousse	le tilleul

couper
abattre

XIX. LE MÉDECIN MALGRÉ LUI (Suite)

Scène I

(*Dans la forêt. Entrent Lucas et Valère.*)

SGANARELLE (*chantant derrière le théâtre*). La, la, la, la . . .

VALÈRE. J'entends quelqu'un qui chante et qui coupe du bois.

SGANARELLE (*entrant, une bouteille à la main, sans apercevoir Lucas et Valère*). La, la, la. Ma foi, j'ai assez travaillé pour boire un coup. (*Il chante.*)

Qu'ils sont doux,
Bouteille jolie,
Qu'ils sont doux,
Vos petits glougloux !
Ah ! Bouteille, ma mie,
Pourquoi vous videz-vous ?

VALÈRE (*bas, à Lucas*). Le voilà lui-même.

LUCAS (*bas, à Valère*). Je pense que vous dites vrai.

VALÈRE. Voyons de près.

SGANARELLE (*embrassant sa bouteille*). Ah ! Que je t'aime, ma petite bouteille ! (*Apercevant Lucas et Valère qui l'examinent, il baisse la voix.*) " Qu'ils sont doux . . . " Diable, que veulent ces gens-là ?

VALÈRE. C'est lui, assurément.

LUCAS. Oui, oui, c'est lui.

SGANARELLE (*pose la bouteille à terre*). Ils consultent en me regardant. Que veulent-ils ?

VALÈRE. Monsieur, n'est-ce pas vous qui vous appelez Sganarelle ?

SGANARELLE. Hé ! Quoi ?

VALÈRE. Je vous demande si ce n'est pas vous Sganarelle ?

SGANARELLE (*se tournant vers Valère, puis vers Lucas*). Oui et non, selon ce que vous voulez.

VALÈRE. Nous voulons lui faire toutes les civilités que nous pourrons.

SGANARELLE. En ce cas, c'est moi qui me nomme Sganarelle.

VALÈRE. Monsieur, nous sommes enchantés de vous voir, et nous venons implorer votre aide, dont nous avons besoin.

SGANARELLE. Je suis tout prêt à vous rendre service, Messieurs.

VALÈRE. Monsieur, c'est trop de grâce que vous nous faites. Monsieur, les habiles hommes sont toujours recherchés et . . .

SGANARELLE. Il est vrai, Messieurs, que je suis le premier homme du monde pour faire des fagots.

VALÈRE. Ah, Monsieur . . . !

SGANARELLE. Et je les vends dix sous le cent.

VALÈRE. Ne parlons pas de cela, s'il vous plaît.

SGANARELLE. Je vous avertis que je ne puis pas les donner à moins.

VALÈRE. Monsieur, nous savons les choses.

SGANARELLE. Il y a fagots et fagots, mais pour ceux que je fais, moi. . . .

VALÈRE. Hé ! Fi !

SGANARELLE. Non, en conscience ; je vous parle sincèrement.

VALÈRE. Mais, Monsieur, un fameux médecin, comme vous êtes, avec les beaux talents que vous avez —— !

SGANARELLE (*à part*). Il est fou.

LUCAS. Monsieur, nous savons ce que nous savons.

SGANARELLE. Quoi donc ? Pour qui me prenez-vous ?

VALÈRE. Pour ce que vous êtes, pour un grand médecin.

SGANARELLE. Médecin vous-même ; je ne le suis pas et je ne l'ai jamais été.

VALÈRE (*bas*). Voilà sa folie qui le tient. Je vois bien qu'il faut employer le remède. (*Haut.*) Monsieur, encore une fois, je vous prie de confesser ce que vous êtes.

LUCAS. Oui, confesser franchement que vous êtes médecin.

SGANARELLE. Messieurs, en un mot comme en deux mille, je vous dis que je ne suis point médecin.

VALÈRE. Vous n'êtes point médecin ?

SGANARELLE. Non ; non, vous dis-je.

VALÈRE. Puisque vous le voulez, alors.

(*Valère et Lucas le frappent bien.*)

SGANARELLE. Ah ! Ah ! Ah ! Messieurs, je suis tout ce qui vous plaira.

VALÈRE. Pourquoi, Monsieur, nous obligez-vous à cette violence ?

LUCAS. Pourquoi, Monsieur ?

SGANARELLE. Que diable est ceci, Messieurs ? Est-ce pour rire que vous dites que je suis médecin ?

VALÈRE. Comment ? Vous persistez ? (*Lucas et Valère recommencent à le battre.*)

SGANARELLE. Ah ! Ah ! Hé bien ! Messieurs, puisque vous le voulez, je suis médecin, je suis médecin ; apothicaire même, si vous voulez.

VALÈRE. Ah ! Voilà qui va bien, Monsieur.

LUCAS. Je suis enchanté de vous entendre parler comme cela.

VALÈRE. Nous vous demandons pardon, Monsieur, de tous les coups.

SGANARELLE. Mais, Messieurs, dites-moi, ne vous trompez-vous pas vous-mêmes ? Êtes-vous bien sûrs que je suis médecin ?

LUCAS. Oui, par ma foi.

VALÈRE. Sans doute.

SGANARELLE. Diable m'emporte si je le savais !

VALÈRE. Comment ! Vous êtes le plus habile médecin du monde.

SGANARELLE. Ah, ah ?

LUCAS. Vous avez guéri des centaines de malades.

SGANARELLE. Bon Dieu !

VALÈRE. Enfin, Monsieur, si vous voulez venir avec nous, vous gagnerez ce que vous voudrez.

SGANARELLE. Je gagnerai ce que je voudrai ?

VALÈRE. Oui.

SGANARELLE. Ah, je suis médecin, bien sûr ! Je l'avais oublié, mais je m'en souviens. Où faut-il aller ?

VALÈRE. Nous vous conduirons. Il faut aller voir une jeune fille qui a perdu la parole.

SGANARELLE. Ma foi, je ne l'ai pas trouvée.

VALÈRE (*bas, à Lucas*). Il aime plaisanter. (*A Sganarelle.*) Allons, Monsieur.

SGANARELLE. Sans une robe de médecin ?

VALÈRE. Nous en prendrons une.

SGANARELLE (*présentant sa bouteille à Valère*). Tenez cela, vous ; voilà où je mets mes potions.

LUCAS. Voilà un médecin qui me plaît ; il réussira, car il est drôle.

Scène II

(*Une salle dans la maison de Géronte, maître de Valère et de Lucas.*)

VALÈRE. Oui, Monsieur, je crois que vous serez satisfait ; nous vous avons amené le plus grand médecin du monde.

LUCAS. Il a guéri même des gens qui étaient morts.

VALÈRE. Il est un peu capricieux, comme je vous ai dit, mais, dans le fond, il est toute science.

GÉRONTE. Je meurs d'envie de le voir, allez vite le chercher.

(*Valère sort et revient avec Sganarelle.*)

VALÈRE. Monsieur, préparez-vous. Voici notre médecin.

GÉRONTE. Monsieur, je suis enchanté de vous voir chez moi, et nous avons grand besoin de vous.

SGANARELLE (*en robe de médecin, avec un chapeau haut et pointu*). Hippocrate dit . . . dans son chapitre, Monsieur le médecin . . .

GÉRONTE. A qui parlez-vous, s'il vous plaît ?

SGANARELLE. A vous.

GÉRONTE. Je ne suis pas médecin.

SGANARELLE. Vous n'êtes pas médecin ?

GÉRONTE. Non, vraiment.

SGANARELLE. Non ? (*Il prend un bâton et frappe Géronte.*) Vous êtes médecin maintenant !

GÉRONTE (*furieux*). Quel diable d'homme m'avez-vous mené ?

VALÈRE. C'est pour rire, Monsieur, seulement.

SGANARELLE. Je vous demande pardon, Monsieur, de la liberté que j'ai prise.

GÉRONTE. Ne parlons plus de cela. Monsieur, j'ai une fille qui est tombée dans une étrange maladie.

SGANARELLE. Comment s'appelle votre fille ?

GÉRONTE. Lucinde.

SGANARELLE. Lucinde ! Ah, beau nom à médicamenter ! Lucinde !

GÉRONTE. Je vais voir ce qu'elle fait.

SGANARELLE. Je l'attends, Monsieur, avec toute la médecine.

GÉRONTE. Où est-elle ?

SGANARELLE (*se touchant le front*). Là-dedans.

GÉRONTE. Fort bien.

Scène III

GÉRONTE (*revient avec sa fille*). Voici ma fille.

SGANARELLE. Est-ce là la malade ?

GÉRONTE. Oui, c'est ma fille unique.

SGANARELLE (*à Lucinde*). Hé bien ! Qu'avez-vous ?

LUCINDE (*portant la main à sa bouche, à sa tête et sous son menton*). Han, hi, hon, han.

SGANARELLE. Hé ! Que dites-vous ?

LUCINDE (*continue les mêmes gestes*). Han, hi, han, han, han, hi, hon.

SGANARELLE. Quoi ?

LUCINDE. Han, hi, hon.

SGANARELLE. Han, hi, hon, han, ha. Je ne vous comprends pas. Quel diable de langage est-ce là ?

GÉRONTE. Monsieur, c'est là sa maladie. Elle est devenue muette.

SGANARELLE. Ah ? (*A Lucinde.*) Donnez-moi votre bras. (*A Géronte.*) Voilà un pouls qui marque que votre fille est muette.

GÉRONTE. Hé ! oui, Monsieur, c'est là son mal ; vous l'avez trouvé tout de suite.

SGANARELLE. Ha ! Ha ! Nous autres grands médecins, nous connaissons d'abord les choses. Oui, je vous apprends que votre fille est muette.

GÉRONTE. Oui, mais d'où cela vient-il ?

SGANARELLE. Il n'y a rien de plus aisé ; cela vient de ce qu'elle a perdu la parole.

GÉRONTE. Fort bien. Mais la cause, s'il vous plaît ?

SGANARELLE. Ah — Aristote, là-dessus, dit . . . de fort belles choses . . . Comprenez-vous le latin ?

GÉRONTE. Non.

SGANARELLE. Vous ne comprenez pas le latin ? (*Avec enthousiasme*) *Singulariter*, *nominativo*, *bonus*, *bona*, *bonum*. *Deus sanctus*, *est-ne oratio latinas ? Etiam !*

GÉRONTE. Ah ! Pourquoi n'ai-je pas étudié ? Mais Monsieur, que faut-il faire pour guérir cette maladie ?

SGANARELLE. Donnez-lui pour remède une grande quantité de pain trempé dans du vin.

GÉRONTE. Pourquoi cela, Monsieur ?

SGANARELLE. Parce qu'il y a dans le vin et le pain, mêlés ensemble, une qualité qui fait parler.

GÉRONTE. Cela est vrai. Ah ! le grand homme ! Vite, quantité de pain et de vin.

SGANARELLE. Je reviendrai la voir vers le soir.

XIX

Exercice I. Écrivez *ce*, *cet*, *cette*, devant : pouls, quantité, apothicaire, cas, coup, bouteille, verre, violence, moyen, poisson, fromage, pain, beurre, vin, vinaigre, eau, lait, crème, fruit, fleur. (p. 240.)

Exercice II. Formez des adverbes de : sincère ; franc ; seul ; capricieux ; assuré ; doux ; sec ; joli ; lent ; gentil ; évident ; bon ; mauvais ; meilleur ; poli ; cruel ; frais ; sot ; sérieux. (p. 250.)

Exercice III. Remplacez les substantifs par des pronoms : 1. Je ne suis pas médecin. 2. La jeune fille a perdu la parole. 3. Valère sort et revient avec Sganarelle. 4. Cette jeune fille est tombée dans une étrange maladie. 5. Pourquoi n'avez-vous pas donné sa médecine à l'enfant ? 6. Voulez-vous du vin ? 7. Ne donnez pas ce couteau au petit garçon. 8. Portez cette lettre au bureau de poste. 9. Lucinde continue-t-elle les mêmes gestes ? 10. Géronte revient avec sa fille. (pp. 243-6.)

Exercice IV. Remplacez l'infinitif par la forme convenable de l'imparfait ou du passé composé : 1. Je (rentrer) à la maison quand je (rencontrer) le médecin. 2. Comme il (traverser) le Pont-Neuf, il (voir) partir l'autobus. 3. Lucas et Valère (trouver) Sganarelle qui (couper) du bois. 4. Il (travailler) quand j'(entrer). 5. Quand j'(être) malade, le médecin me (donner) une excellente ordonnance. 6. Il me (dire) qu'il (plaisanter), mais je ne le (croire) pas. 7. Quand elle me (voir), elle (baisser) la voix. 8. Tout à coup j'(entendre) quelqu'un qui (chanter). 9. Comme il (traverser) le glacier, il (tomber) dans une crevasse. 10. L'horloge (sonner) neuf heures quand j'(arriver) ce matin au lycée. (pp. 253-4.)

Exercice V. Répondez :

1. Qu'est-ce qu'un médecin ?
2. Que faut-il faire pour devenir médecin ?
3. Quelle est la différence entre un médecin et un apothicaire ?
4. Comment parle-t-on avec les muets ?
5. Donnez le contraire d' " un diable."
6. Qu'est-ce qu'une fille unique n'a pas ?
7. Qui donne une ordonnance ?
8. " Sa bouche, sa tête et son menton." Nommez d'autres parties du corps.
9. Qu'est-ce qu'un remède ?
10. Lequel des deux est le plus intelligent, de Lucas ou Valère ?

Exercice VI. Écrivez au négatif : 1. Vous l'avez vu. 2. C'est lui. 3. Il baisse la voix. 4. Je vous demande si c'est vrai. 5. Les habiles hommes sont toujours recherchés. 6. C'était le meilleur médecin du monde. 7. Vous le leur avez dit. 8. On a vu une chose pareille. 9. C'est pour rire que vous dites cela. 10. Vous vous êtes levé à six heures. (p. 251.)

Exercice VII. Remplacez les tirets par le verbe convenable ; puis, composez une phrase pour chacun : 1. — une question. 2. — une visite. 3. — un cri. 4. — un voyage. 5. — une ordonnance. 6. — sa vie. 7. — la main. 8. — un service.

Exercice VIII. Donnez le contraire de : il baisse la voix ; je cherche ; il achète ; vous commencez ; levez-vous ; il fait beau ; il remplit ; vous éteignez ; elle amène ; vous oubliez.

Exercice IX. Sujets de composition :

1. Supposez que vous êtes malade (pas très gravement !) et que le médecin vient vous voir. Écrivez le dialogue (le médecin — vous — votre mère).
2. Supposez que vous êtes Lucinde et racontez vos impressions de votre nouveau médecin.
3. Offrez un beau repas à Lucinde pour la faire parler. (p. 279.)

Exercice X. Apprenez, pour les jouer dans la classe, les scènes du " Médecin malgré lui."

XX. LE MÉDECIN MALGRÉ LUI
(Suite et fin)

Scène I

(*Devant la maison de Géronte. Entre Sganarelle. Léandre, amant de Lucinde, vient lui parler.*)

LÉANDRE. Monsieur, je vous attends depuis longtemps ; je viens implorer votre assistance.

SGANARELLE (*lui tâtant le pouls*). Voilà un pouls qui est fort mauvais.

LÉANDRE. Je ne suis point malade, Monsieur ; et ce n'est pas pour cela que je viens à vous.

SGANARELLE. Si vous n'êtes pas malade, pourquoi diable ne le dites-vous pas donc ?

LÉANDRE. Non. Pour vous dire la chose en deux mots, je m'appelle Léandre, et je suis amoureux de Lucinde, que vous venez de visiter. J'ose vous prier de m'aider à pouvoir lui dire deux mots d'où dépendent absolument mon bonheur et ma vie.

SGANARELLE. Pour qui me prenez-vous ? Comment ! Oser vous adresser à moi pour vous servir dans votre amour, insolent !

LÉANDRE (*tirant une bourse*). Monsieur . . . je vous demande pardon . . .

SGANARELLE (*recevant la bourse*). Je me suis trompé, car vous êtes honnête homme. En quoi puis-je vous servir ?

LÉANDRE. Monsieur, il faut vous dire que Lucinde n'est pas malade du tout, mais a trouvé cette maladie pour la délivrer du mariage que son père désire pour elle avec Horace. Mais retirons-nous d'ici, et je vous dirai en marchant ce que je désire de vous.

SGANARELLE. Allons, Monsieur, je suis plein de sympathie pour vous.

Scène II

(*A quelque distance de la maison de Géronte.*)

LÉANDRE (*déguisé en apothicaire*). Comme le père ne me connaît pas très bien, ce changement d'habit et de perruque est assez capable, je crois, de me déguiser à ses yeux.

SGANARELLE. Sans doute. Suivez-moi à la maison de votre belle Lucinde.

Scène III

(*Dans une salle de la maison de Géronte. Sganarelle suivi de Léandre, Géronte.*)

GÉRONTE. Ah ! Monsieur, je demandais où vous étiez.

SGANARELLE. Comment se porte la malade ?

GÉRONTE. Un peu plus mal depuis votre remède.

SGANARELLE. Tant mieux ; c'est signe qu'il opère.

GÉRONTE. Mais qui est cet homme-là que vous amenez ?

SGANARELLE. C'est mon apothicaire. Votre fille aura besoin de lui.

JACQUELINE (*servante de Lucinde, entre, menant Lucinde*). Monsieur, voilà votre fille qui veut marcher un peu.

SGANARELLE. Cela lui fera du bien. Allez, Monsieur l'apothicaire, tâter un peu son pouls et dites-moi après ce que vous pensez de sa maladie.

(*Sganarelle tire Géronte dans un coin du théâtre pour l'empêcher de voir ce que font Léandre et Lucinde.*)

SGANARELLE (*parle très vite*). Monsieur, c'est une grande question entre les docteurs, de savoir si les femmes sont plus faciles à guérir que les hommes. Je vous prie d'écouter ceci, s'il vous plaît. Les uns disent que non, les autres disent que oui ; et moi, je dis que non et que oui ; on voit que la différence de leurs opinions dépend du mouvement du cercle de la lune et du soleil, et Aristote dit . . .

LUCINDE (*à Léandre*). Non, je ne changerai jamais, Léandre . . .

GÉRONTE. Voilà ma fille qui parle ! O grande vertu du remède ! O admirable médecin ! Que je vous suis obligé, Monsieur, de ce miracle ! Que puis-je faire pour vous après un tel service ?

SGANARELLE (*se promenant sur le théâtre et s'éventant avec son chapeau*). Voilà une maladie qui m'a bien donné de la peine !

LUCINDE. Oui, mon père, j'ai recouvré la parole ; mais je l'ai recouvrée pour vous dire que je n'aurai jamais d'autre mari que Léandre, et que c'est inutilement que vous voulez me donner Horace.

GÉRONTE. Mais . . .

LUCINDE. Rien n'est capable de changer ma résolution.

GÉRONTE. Quoi !

LUCINDE. Vous m'opposerez en vain.

GÉRONTE. Si . . .

LUCINDE. Tous vos discours seront en vain.

GÉRONTE. Je . . .

LUCINDE. Je suis absolument déterminée.

GÉRONTE. Mais . . .

LUCINDE. Votre puissance paternelle ne peut rien faire.

GÉRONTE. J'ai . . .

LUCINDE. Mon cœur ne se soumettra jamais.

GÉRONTE. La . . .

LUCINDE. Non ; je me jetterai plutôt dans un couvent que d'épouser un homme que je n'aime pas.

GÉRONTE. Mais . . .

LUCINDE. Non. Vous perdez le temps. Je n'en ferai rien.

GÉRONTE. Ah ! Quel torrent de paroles ! Monsieur (*à Sganarelle*), je vous prie de la faire redevenir muette !

SGANARELLE. C'est une chose qui m'est impossible. Tout ce que je puis faire pour votre service est de vous rendre sourd, si vous voulez.

GÉRONTE. Je vous remercie. (*A Lucinde.*) Tu épouseras Horace dès ce soir.

LUCINDE. J'épouserai plutôt la mort.

SGANARELLE. Mon Dieu ! Arrêtez-vous, laissez-moi médicamenter cette affaire ; c'est une maladie qui la tient, et je sais le remède qu'il y faut apporter.

GÉRONTE. Est-ce possible, Monsieur ?

SGANARELLE. Oui, oui. Laissez-moi faire. J'ai des remèdes pour tout, et notre apothicaire nous aidera. (*A Léandre.*) Allez ; vous voyez que l'amour qu'elle a pour ce Léandre est contraire à la volonté de son père ; il faut lui donner un remède ; vite, faites-lui faire un petit tour au jardin ; surtout, ne perdez pas de temps. Au remède, vite ! (*Léandre et Lucinde sortent.*)

Scène IV

GÉRONTE. Avez-vous jamais vu une telle insolence ?

SGANARELLE. Les filles sont quelquefois un peu difficiles.

GÉRONTE. Elle aime follement ce Léandre.

SGANARELLE. Sans doute.

GÉRONTE. C'est pour cela que je la tiens renfermée.

SGANARELLE. Fort bien.

GÉRONTE. On me dit qu'il fait tous ses efforts pour lui parler.

SGANARELLE. Quel drôle !

GÉRONTE. Mais il perdra son temps.

SGANARELLE. Ah ! Ah !

VALÈRE (*entre en courant*). Monsieur, Monsieur, votre fille s'est enfuie avec son Léandre ! C'était lui qui était l'apothicaire et voilà Monsieur le médecin qui a fait cette belle opération-là !

GÉRONTE. Comment ! Traître ! Ah, je vous ferai punir par la justice ! Saisissez-le !

VALÈRE. Ah, par ma foi, Monsieur le médecin, vous serez pendu.

MARTINE (*entre*). Ah ! Mon Dieu, que j'ai eu de la peine à trouver cette maison !
(*A Lucas.*)

Dites-moi un peu de nouvelles du médecin que je vous ai donné.

VALÈRE. Le voilà, qui va être pendu.

MARTINE. Quoi ! Mon mari pendu ! Hélas ! Et qu'a-t-il fait pour cela ? Hélas, mon cher mari, est-il bien vrai qu'on va te pendre ?

SGANARELLE. Ah ! Tu vois. Ah !

MARTINE. Et tu n'as pas même fini de couper notre bois ! Hélas !

SGANARELLE. Retire-toi de là ; tu me fends le cœur !

MARTINE. Non, je veux demeurer pour t'encourager à mourir ; j'attendrai pour te voir pendu !

GÉRONTE. Ah, scélérat, on vous mettra en prison.

SGANARELLE (*à genoux*). Hélas ! cela ne se peut-il pas changer en quelques coups de bâton ?

GÉRONTE. Non, non ; la justice te punira. Mais que vois-je?

(*Léandre et Lucinde entrent.*)

LÉANDRE. Monsieur, je viens présenter Léandre à vos yeux et remettre Lucinde en votre pouvoir. Nous avons eu le dessein de prendre la fuite tous deux et d'aller nous marier ensemble, mais cette entreprise ne nous paraît pas honnête. Je ne veux pas vous voler votre fille ; je veux la recevoir de votre main. Ce que je vous dirai, Monsieur, c'est que mon oncle est mort et que je suis héritier de tous ses biens.

GÉRONTE. Monsieur, je vous donne ma fille avec la plus grande joie du monde.

SGANARELLE (*à part*). La médecine l'a échappé belle !

MARTINE. Puisque tu ne seras pas pendu, rends-moi grâce d'être médecin, car c'est moi qui t'ai procuré cet honneur.

SGANARELLE. Oui ! C'est toi qui m'as procuré tous ces coups de bâton ?

LÉANDRE. Le résultat est trop beau pour en garder du ressentiment.

SGANARELLE. Bien. (*A Martine.*) Je te pardonne ces coups de bâton en faveur de la dignité où tu m'as élevé ; mais prépare-toi désormais à vivre dans un grand respect avec un homme de ma conséquence, et songe que la colère d'un médecin est plus à craindre qu'on ne peut croire.

XX

Exercice I. (Exemple : — dignité — justice. *La* dignité *de la* justice) : 1. — dignité — justice. 2. — héritier — héros. 3. — insolence — traître. 4. — genou — soldat. 5. — perruque — seigneur. 6. — pouls — malade. 7. — cœur — amoureux. 8. — voix — maître. 9. — perroquet — fillette. 10. — maladie — mendiant.

Exercice II. Remplacez les tirets par la forme convenable du pronom ou de l'adjectif interrogatif : 1. Pour — me prenez-vous ? 2. En — puis-je vous servir ? 3. — dites-vous ? 4. — frappe à la porte ? 5. De — couleur est votre nouveau chapeau ? 6. — brûle dans le four ? 7. — en pensez-vous ? 8. Avec — l'avez-vous fait ? 9. Avec — allez-vous au théâtre ? 10. — comédie avez-vous vue ? (pp. 241, 247-8.)

Exercice III. Écrivez au pluriel : tu opères ; tu remets ; tu vis ; tu viens ; tu mens ; tu crains ; tu disparais ; tu détruis ; tu finis ; tu apprends ; elle voit ; elle dort ; elle sert ; elle suit ; elle sort ; elle hait ; elle boit ; elle rit ; elle réussit ; elle plaît. (pp. 256-65.)

Exercice IV.

1. Écrivez en toutes lettres ; additionnez et donnez le total : 19, 21, 48, 65, 91, 300.
2. Quelle heure est-il ? 2.45 ; 3.10 ; 12.30 ; 10.45 ; 7.50 ; 1.5.
3. Écrivez en toutes lettres les dates suivantes : 17.iii.1896 ; 25.xii.1938 ; 18.vi.1815 ; 1.i.1900 ; 10.v.1937 ; 21.ii.1934. (pp. 266, 270.)

Exercice V. Remplacez les substantifs par des pronoms personnels : 1. Je me jetterai plutôt dans un couvent. 2. Donnez ce remède à la jeune fille. 3. Je viens présenter Léandre à vos yeux et remettre Lucinde en votre pouvoir. 4. Lucinde s'est enfuie avec Léandre. 5. Je ne veux pas donner mon aide à ce jeune homme. 6. Où la dame a-t-elle vu ma fille ! 7. Portez cet argent au pauvre aveugle. 8. Vous souvenez-vous de cette scène ? 9. Le jeune médecin doit visiter souvent ses malades. 10. La femme de Sganarelle est allée à la maison de Géronte retrouver son mari. (pp. 243-6.)

Exercice VI. Remplacez l'infinitif par la forme convenable de l'imparfait ou du passé composé : 1. J'(ouvrir) la boîte qui (renfermer) le bijou. 2. Il (voir) devant la cathédrale un aveugle qui (mendier). 3. Comme je (traverser) le pont, je (s'arrêter) pour acheter un petit bouquet de violettes. 4. Quand j'(être) à Paris, je (aller) un soir au théâtre. 5. Quand nous (déjeuner), la bonne (entrer) pour annoncer la visite d'une amie. 6. Il m'(interrompre) pour me demander quelle heure il (être). 7. Comme il (faire) beau, nous (décider) d'aller passer la journée à la campagne. 8. Nous (visiter) un jardin qui (être) plein de roses. 9. Assis dans son fauteuil, mon père (fumer) sa pipe quand je (rentrer) hier soir. 10. Accompagné de mon frère, je (aller) regarder les bateaux qui (remonter) la Seine. (pp. 253-4).

Exercice VII. 1. Changer : *le changement*. Formez ainsi des substantifs avec : déguiser ; commencer ; embrasser ; hurler ; rouler.

2. Situer : *la situation*. Formez ainsi des substantifs avec : converser ; illuminer ; célébrer ; obliger ; informer.

3. Comment appelez-vous celui qui (1) joue, (2) passe, (3) reçoit l'argent dans un autobus, (4) vole, (5) hérite d'une fortune ?

Exercice VIII. Répondez :

1. Comment est Léandre ?
2. Est-ce que Géronte est un bon père ?
3. Les femmes sont-elles plus faciles à guérir que les hommes ?
4. Quelle est la différence entre un pouls, une poule et un poulet ?
5. Qu'est-ce qu'un sourd-muet ?
6. Exprimez d'une autre façon " médicamenter."
7. Pourquoi faut-il craindre la colère d'un médecin ?
8. " Insolent ! " . . . " Vous êtes honnête homme." Pourquoi Sganarelle change-t-il si vite d'opinion ?
9. Quelle opinion avez-vous formé des médecins de l'époque de Molière ?
10. Quelles relations existaient entre les pères et les filles, à en juger par cette comédie ?

Exercice IX. Sujets de composition :

1. Racontez " Le Médecin malgré lui," en faisant de chaque scène un seul paragraphe.
2. Faites le portrait d'un médecin.

Exercice X. Apprenez par cœur la comédie, pour la jouer dans la classe, ou ailleurs.

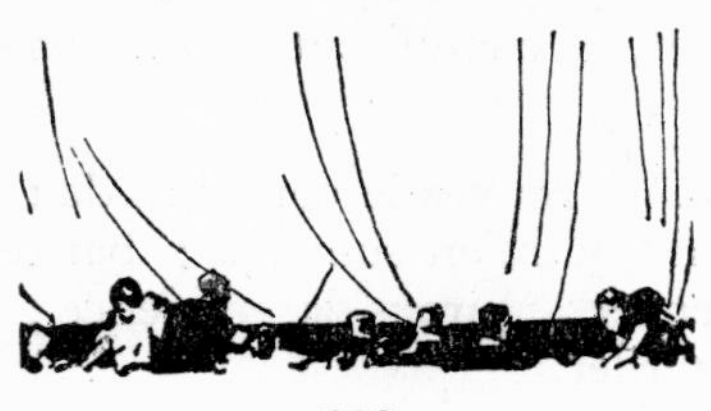

REVISION

Exercice I. (Exemple : — misère — mendiant. *La* misère *du* mendiant.) : 1. — misère — mendiant. 2. — vendeur — drap. 3. — remède — médecin. 4. — boue — rue. 5. — paix — campagne. 6. — science — apothicaire. 7. — pouls — malade. 8. — héritier — oncle. 9. — cœur — jeune fille. 10. — sympathie — voisin. (p. 242.)

Exercice II. Dans les phrases suivantes, remplacez les tirets par la forme convenable de l'interrogatif : 1. — est venu hier soir ? Mon ami Jacques. 2. — voulait-il ? 3. — il a dit ? 4. Par — porte est-il entré ? 5. Sur — s'est-il assis ? 6. Avec — est-il venu ? Avec son frère. 7. Avec — de ses frères ? Avec Georges. 8. — vous leur avez donné à manger ? 9. A — heure sont-ils partis ? 10. — les reverrez-vous ? (pp. 241, 247.)

Exercice III. Écrivez au singulier : nous mentons, nous obéissons, nous amenons, nous nous souvenons, nous éteignons, nous nous asseyons, nous remettons ; vous mourez, vous choisissez, vous dites, vous faites, vous croyez, vous savez, s'il vous plaît ; ils prennent, ils dorment, ils boivent, ils conduisent, ils ont, ils écrivent.

Exercice IV. Trouvez le contraire de : je remonte la rue ; il dit vrai ; je m'en souviens ; baisser la voix ; se taire ; commencer ; pire ; la patience ; la paix ; le médecin ; s'attarder.

Exercice V. Trouvez les adverbes qui correspondent avec : sot ; meilleur ; universel ; seul ; capricieux ; absolu ; franc ; sincère ; tel ; poli. (p. 250.)

Exercice VI. Répondez :

1. Aimez-vous les chevaux ?
2. Où voit-on des chevaux aujourd'hui ?
3. Quels avantages ont les automobiles que les chevaux n'ont pas ?
4. Qu'est-ce qui a remplacé les bougies et les lanternes d'autrefois ? (p. 284.)
5. Nommez des meubles.
6. Que fait-on quand on déménage ? (p. 276.)
7. Comment fait-on un bon gâteau ?
8. De quel pays reçoit-on les oranges ?
9. Nommez des fruits. (p. 282.)
10. Décrivez un " tour comique ".

Exercice VII. Dans les phrases suivantes, remplacez l'infinitif par la forme convenable de l'imparfait ou du passé composé : 1. Ce bateau (remonter) la rivière quand je le (voir). 2. Sganarelle (couper) du bois quand Lucas et Valère le (trouver). 3. Au moment où je (frapper) à la porte, je vous (voir) sortir. 4. J'(être) dans la forêt, comme je vous (dire). 5. Il (pleuvoir) comme nous (sortir). 6. La pomme que je (manger) (être) bien mûre. 7. Comme je (traverser) la rue, une auto (passer) à toute vitesse. 8. Je (voir) Sganarelle comme je (se promener) dans la forêt. (pp. 253-4.)

Exercice VIII.

1. Calculez mille fagots à " dix sous le cent."
2. Dans une pâtisserie. Deux thés à 2 fr. 50 ; 4 gâteaux à 1 fr. ; deux glaces à 2 fr. Je donne un pourboire (dix sur cent). Je paye avec une pièce de 20 fr., et reçois ?
3. Dans un bureau de poste. 10 timbres de 50 ct. ; 15 timbres de 30 ct. ; 5 timbres de 1 fr. 50. Je paye avec une pièce de 20 fr. et reçois ?
4. 8 cartes postales à 40 ct.; 10 cartes postales à 75 ct.; 8 timbres de 90 ct. Je paye avec un billet de 50 fr., et reçois ? (p. 268.)

Exercice IX. Dans les phrases suivantes, remplacez les substantifs par des pronoms personnels : 1. Le mari donne des coups de bâton à sa femme. 2. Suivez le médecin jusqu'à la maison. 3. Sganarelle est plein de sympathie pour Géronte. 4. C'est Sganarelle qui a guéri Lucinde. 5. Ne dites pas à Sganarelle que c'est sa femme qui a montré le chemin à Lucas et à Valère. 6. Les femmes sont plus faciles à guérir que les hommes. 7. La mère donne des bonbons à son enfant. 8. Mon père et mon frère se sont promenés dans la forêt. 9. Où votre sœur a-t-elle retrouvé son amie ? 10. Voyez-vous la statue qui est au coin de la rue ? (pp. 243-6.)

Exercice X. Écrivez au futur : 1. Il est là. 2. Je ne crois pas un mot de ce qu'il dit. 3. Je viens comme je peux. 4. Elle s'en souvient. 5. Ils finissent le livre. 6. Quand vois-tu ton ami ? 7. Qu'en dis-tu ? 8. Cela ne me plaît pas, à moi ! 9. Nous ne buvons que de l'eau. 10. Il suit le chemin droit.

Exercice XI. Écrivez au pluriel : 1. Ce couteau sera très utile dans une cuisine. 2. Ce héros combat pour sa patrie. 3. Connais-tu cette belle histoire ? 4. La paysanne m'a donné un bel œuf et un morceau de beurre. 5. La petite fille s'est assise à côté de son père. 6. Donne-moi, s'il te plaît, ce livre qui est à côté de lui. 7. Si ton nouvel ami ne veut pas t'accompagner, vas-y seul. 8. Je me tiens debout devant ma place. (pp. 238, 243.)

Exercice XII. Répondez :

1. Savez-vous tricoter ?
2. Que buvez-vous le matin, du thé ou du café ?
3. Décrivez votre départ d'une gare de Paris. (p. 281.)
4. Quel est votre parfum préféré ?
5. De quelles couleurs sont les perroquets ?
6. Où étiez-vous il y a une heure ?
7. Quelle est la différence entre une cloche et un clocher ?
8. Qu'offrez-vous à votre mère pour son anniversaire ?
9. Que faites-vous quand vous avez mal aux dents ?
10. Dessinez une carte de France ; indiquez la position de Paris et de cinq grandes villes de province ; insérez cinq grandes rivières et marquez une ville située au bord de chacune de ces rivières.

Exercice XIII.

1. Écrivez en toutes lettres ; additionnez et donnez le total : 8, 16, 21, 44, 75, 93, 200.
2. Quelle heure est-il ? 1.45 ; 5.10 ; 12.30 ; 9.45 ; 8.50 ; 1.15.

3. Écrivez les dates suivantes : 1.iv.1900 ; 25.xii.1937 ; 1.i.1910 ; 11.xi.1918 ; 5.xi.1605.
4. Écrivez les jours de la semaine, les mois de l'an, les quatre saisons et les principales vacances de l'année scolaire. (pp. 266-70.)

Exercice XIV. Composez trois phrases pour décrire chacun des personnes suivantes : une actrice ; un médecin ; un chauffeur ; un marchand des quatre saisons ; un dentiste ; un camelot.

Exercice XV. Sujets de composition :

1. Vous allez passer une journée à Paris. Que ferez-vous ? Décrivez la matinée, l'après-midi et la soirée. (pp. 274-5.)
2. Écrivez un dialogue entendu dans un autobus ou dans une pâtisserie.
3. Quelle saison préférez-vous ? Donnez vos raisons.
4. Comme vous rentrez chez vous, un Français s'adresse à vous pour vous demander de lui indiquer un bureau de poste. Écrivez le dialogue.
5. Défendez Londres contre un ami français qui vous affirme que Paris est la plus belle ville du monde.
6. Un de vos amis va visiter Paris. Dites-lui où il doit aller et ce qu'il doit voir. (pp. 274-5.)

GRAMMAR

§ 1. Definite Article

Singular		Plural
Masculine	Feminine	Masculine and Feminine
le, l'	la, l'	les

Use *l'* before a masculine or a feminine noun beginning with a vowel or *h* mute. (Example : *l'*enfant ; *l'*héroïne.)

§ 2. Indefinite Article

Singular		Plural
Masculine	Feminine	Masculine and Feminine
un	une	des

Notes. 1. The article is omitted in certain expressions, *e.g.* avoir faim, avoir soif, avoir chaud, faire froid.

2. It should be omitted when giving a trade or profession or before a second noun used in apposition. (Example : Il est médecin. Louis XIV, roi de France.)
3. It should be added before proper names preceded by an adjective. (Example : *la* petite Anna.)
4. It should be added before names of countries. (Example : *La* France est un beau pays.) But it is omitted after the preposition *en*. (Example : Il demeure en France.)
5. It must be added before nouns used in a general sense. (Example : *Les* enfants ne sont pas toujours sages.)
6. It is often used to refer to parts of the body. (Example : Il lève *les* yeux. Je me lave *les* mains.)

§ 3. Genitive of the Definite Article

Singular		Plural
Masculine	Feminine	Masculine and Feminine
du, de l'	de la, de l'	des

Use *de l'* before a masculine or a feminine noun beginning with a vowel or *h* mute. (Example: *de l'*homme ; *de l'*étoile.)

Notes. 1. What is called the " partitive " article has really no equivalent in English. It must always be expressed in French. (Example: Il achète *du* pain. Elle vend *des* œufs.)

2. If the sentence is negative, *de* must be used instead of *du*, *de la*, *de l'*, *des*. (Example: Il n'achète pas *de* pain. Elle ne vend pas *d'*œufs.)

3. If there is an adjective *before* the noun, *de* must be used instead of *du*, *de la*, *de l'*, *des*. (Example: Il achète *de* bon pain. Elle vend *de* beaux œufs. But: Il achète *du* pain blanc. Elle vend *des* œufs blancs.)

§ 4. Dative of the Definite Article

Singular		Plural
Masculine	Feminine	Masculine and Feminine
au, à l'	à la, à l'	aux

Use *à l'* before a masculine or a feminine noun beginning with a vowel or *h* mute. (Example: Elle donne du lait *à l'*enfant. Le docteur donne de la médecine *à l'*homme malade.)

Note. The dative of the definite article is often used in French, where we use other prepositions, to express certain relationships between one thing and another. (Example : Le tableau noir est *au* mur. Elle porte un paquet *à la* main. Un porteur *aux* larges épaules.)

§ 5. Adjectives

The adjective agrees with its noun in gender and number. (Example : un petit garçon et une petit*e* fille ; les petit*es* filles.)

§ 6. Gender of Adjectives

The feminine of the adjective is formed by adding *-e* to the masculine. (Example : le petit jardin de la petit*e* maison.)

Notes. 1. Adjectives already ending in *-e* do not change. (Example : un homme riche ; une dame riche.)

2. Those ending in *-x* become *-se*. (Example : un heureux petit garçon ; une heureu*se* petite fille.)
3. Those ending in *-f* become *-ve*. (Example : Il est vif. Elle est vi*ve*.)
4. Those ending in *-er* become *-ère*. (Example : Le garçon est le premier de la classe. La fillette est la premi*ère* de la classe.)
5. Those in *-el*, *eil*, *-et*, *-en*, *-on* double the last letter before adding *-e*. (Example : cruel, cruel*le* ; pareil, pareil*le* ; muet, muet*te* ; ancien, ancien*ne* ; bon, bon*ne*.)
6. The following should be learnt :

Masculine	Feminine
beau, bel	belle
nouveau, nouvel	nouvelle

Masculine	Feminine
fou, fol	folle
mou, mol	molle
vieux, vieil	vieille
blanc	blanche
franc	franche
frais	fraîche
sec	sèche
long	longue
bas	basse
doux	douce
gros	grosse
faux	fausse
roux	rousse
cher	chère
nul	nulle
tel	telle

The second masculine form (*bel*, *nouvel*, *fol*, *mol*, *vieil*) must be used before a masculine singular noun beginning with a vowel or *h* mute. (Example : un *bel* arbre ; un *vieil* ami.)

§ 7. Number of Adjectives

The plural of the adjective is formed by adding *-s* to the singular. (Example : le petit garçon et la petite fille ; les petit*s* garçons et les petite*s* filles.)

Notes. 1. Those already ending in *-s* or *-x* do not change. (Example : un livre gris ; des livres gris. L'enfant est heureux. Les enfants sont heureux.)

2. Those ending in *-eau* add *-x*. (Example : un beau bébé ; les beau*x* bébés.)

3. Those ending in *-al* become *-aux*. (Example : le principal magasin ; les princip*aux* magasins.)

4. If the adjective refers to two or more nouns of different genders, it will be masculine, not feminine. (Example : Les garçons et les fillettes sont content*s*.)
5. Tout (*f.* toute) becomes in the plural *tous* (*f.* toutes).

§ 8. Position of Adjectives

Adjectives usually follow the noun they qualify. But this is not a fixed rule.

Notes. 1. Adjectives of colour, of nationality, and participles used as adjectives always follow. (Example : une robe jaune ; une femme française ; une heure perdue.)

2. The following usually precede :

bon	grand	gros
mauvais	petit	cher
beau	jeune	sot
joli	vieux	
vilain	haut	

§ 9. Comparison of Adjectives

Positive	Comparative	Superlative
grand	plus grand	le plus grand

To indicate equality, use *aussi* . . . *que* if the sentence is affirmative, *si* . . . *que* if the sentence is negative. (Example : Elle est *aussi* grande *que* sa sœur, mais n'est pas *si* grande *que* sa mère.)

To indicate inferiority, you may also use *moins*, *le moins*. (Example: Elle est *moins* grande *que* sa mère.)

Notes. 1. After comparatives of inequality, *ne* is inserted before the following verb. (This *ne* is not to be translated.) (Example : Il est plus grand que je *ne* croyais.)

2. Use plus *de*, not plus *que*, before a numeral. (Example : plus *de* cinq francs.)
3. The following should be learnt :

Positive	Comparative	Superlative
bon	meilleur	le meilleur
mauvais	pire (plus mauvais)	le pire (le plus mauvais)
petit	moindre (plus petit)	le moindre (le plus petit)

§ 10. Demonstrative Adjectives

Singular		Plural
Masculine	Feminine	Masculine and Feminine
ce, cet	cette	ces

Use *cet* before a masculine singular noun beginning with a vowel or *h* mute. (Example : ce garçon ; cet homme.)

§ 11. Possessive Adjectives

	Singular		Plural
	Masculine	Feminine	Masculine and Feminine
1st Person Sing.	mon	ma (mon)	mes
2nd Person Sing.	ton	ta (ton)	tes
3rd Person Sing.	son	sa (son)	ses
1st Person Plur.	notre	notre	nos
2nd Person Plur.	votre	votre	vos
3rd Person Plur.	leur	leur	leurs

The form in brackets must be used before a feminine singular noun beginning with a vowel or *h* mute. (Example : ma mère ; mon école.)

Example:

	SINGULAR	PLURAL
1ST PERSON	Je porte mon chapeau	Nous portons nos chapeaux
2ND PERSON	Tu portes ton chapeau	Vous portez vos chapeaux
3RD PERSON	Il porte son chapeau	Ils portent leurs chapeaux
1ST PERSON	Je me lève de ma place	Nous nous levons de nos places
2ND PERSON	Tu te lèves de ta place	Vous vous levez de vos places
3RD PERSON	Il se lève de sa place	Ils se lèvent de leurs places

§ 12. INTERROGATIVE ADJECTIVES

SINGULAR		PLURAL	
MASCULINE	FEMININE	MASCULINE	FEMININE
quel	quelle	quels	quelles

(Example: Quel livre avez-vous vu ? Quelles fleurs choisissez-vous ? Quelle est la différence entre une porte et un porteur ?)

§ 13. INDEFINITE ADJECTIVES

SINGULAR	PLURAL
chaque (= each)	
quelque (= some)	quelques

(Example: Chaque enfant a reçu un gâteau. Je l'ai vu il y a quelques jours.)

§ 14. Nouns

Nouns in French are either masculine or feminine; there is no neuter.

Notes. 1. Remember the use of the partitive article (*du*, *de la*, *de l'*, *des*) where there is often no English equivalent (cf. § 3, p. 236). (Example: J'ai acheté *du* jambon et *des* œufs.)

2. Notice the omission of the article in apposition (cf. § 2, p. 235). (Example: Georges VI, roi d'Angleterre. Cet homme est médecin.)

§ 15. Gender of Nouns

Notes. 1. Gender is often determined by sex. (Example: le père, la mère; le coq, la poule.)

2. Sometimes it can be determined from the termination. Most nouns ending in *-e* are feminine (la rose; la table). Other feminine endings are *-son*, *-ion*, *-té*. (Example: la raison; la conversation; la bonté.)

3. Names of trees, of the days of the week, months and seasons are masculine. (Example: le chêne; le peuplier; le jeudi; le mars; le printemps.)

4. Nouns of more than one syllable ending in *-age* are masculine. (Example: le village; le courage.)

5. The word *gens* (=people) requires the adjective immediately in front to be feminine, otherwise masculine. (Example: Les *bonnes* gens sont *contents*.)

§ 16. Feminine of Nouns

In forming the feminine of nouns, compare the rules given for forming the feminine of adjectives (§ 6, p. 237). Thus: le veuf, la *veuve*; le berger, la *bergère*; le paysan, la *paysanne*.

The following should be learnt :

Masculine	Feminine
le bœuf	la vache
le coq	la poule
le maître	la maîtresse
le compagnon	la compagne
l'empereur	l'impératrice
le prince	la princesse
le héros	l'héroïne
le serviteur	la servante

§ 17. Number of Nouns

In forming the plural of nouns, compare the rules given for forming the plural of adjectives (§ 7, p. 238). Thus : le fils, les *fils* ; le nez, les *nez* ; l'oiseau, les *oiseaux* ; l'animal, les *animaux*.

Notes. 1. The plural of l'œil is les *yeux*.

2. The plural of each compound noun is best learnt by itself. Thus : le bureau de poste, les *bureaux* de poste ; une après-midi, des après-midi.

§ 18. Personal Pronouns—Unstressed

	Singular		
	1st Person	2nd Person	3rd Person
Nominative	je	tu	il, elle
Accusative	me	te	le, la
Dative	me	te	lui
	Plural		
Nominative	nous	vous	ils, elles
Accusative	nous	vous	les
Dative	nous	vous	leur

	Singular and Plural
Genitive	en (=of it, of them, from there)
Dative	y (=to it, to them, at it, there, etc.)

Reflexive Forms

	Singular	
1st Person	2nd Person	3rd Person
me	te	se
	Plural	
nous	vous	se

Notes. 1. These forms always cling to the verb ; in an ordinary statement sentence their place is before it. (Example : Je le vois. Nous le lui donnons. Je m'en souviens. Les a-t-il ?)

2. The 2nd Person Singular (*tu*, *te*) is used in speaking to young children, or between members of the same family, or between intimate friends. A foreigner in France will not have much opportunity of using it.

3. A sort of neuter *le* is sometimes used as an object standing for a clause. (Example : Elle viendra demain, je vous *le* dis.)

4. In French you often have to add *en* or *y* in a sentence to represent a noun omitted. (Example : Avez-vous des œufs, Madame ? Oui, j'*en* ai. Allez-vous à la maison ? Oui, j'*y* vais.)

§ 19. Order of Pronouns

The Accusative is the case of the Direct Object ; the Dative, the case of the Indirect Object. In an ordinary statement sentence, both precede the verb.

NOTES. 1. The 1st or 2nd Person will come before the 3rd. (Example: Je te le donne. Nous vous le donnons.)

2. If there are two 3rd Person object pronouns before the verb, put the Direct Object (the Accusative) before the Indirect Object (the Dative). (If you find difficulty remembering this, think of the alphabetical order of the initial letter—" D before I," or " A before D.") (Example: Je le lui donne. Elle me l'offre.)

3. *Y* and *en* (the *end* one) come last of all. (Example: Nous lui en donnons. Vous l'y avez vu. Il y en a.)

4. This is very important. In an *affirmative command*, the pronouns do not precede the verb, but follow it, in the English order. (Example: Donnez-le-lui. Allez-y. But: *Ne* le lui donnez *pas*.)

5. Use *moi* and *toi* instead of *me* and *te* at the end of the group in the Imperative Affirmative. (Example: Écoutez-moi. Donnez-le-moi.)

§ 20. PERSONAL PRONOUNS—STRESSED

	SINGULAR	
1ST PERSON	2ND PERSON	3RD PERSON
moi	toi	lui, elle
	PLURAL	
nous	vous	eux, elles
	REFLEXIVE FORM, 3RD PERSON,	soi

NOTES. 1. These forms, used chiefly of persons, not things, should be used when the personal pronoun is emphasized in any way—when it stands alone, or is not " clinging " to a verb. (Example: Qui est là ? Moi. C'est lui qui me l'a dit.)

2. The form *soi* is used only to refer to an indefinite pronoun. (Example : On ne doit pas trop parler de soi.)
3. It sometimes happens that a verb has two object pronouns, one dative, one accusative. If the accusative pronoun is *le*, *la* or *les*, there is no difficulty. (Example : Je vous le donne. Il me l'offre.) But if the accusative is not *le*, *la*, *les*, then the stressed form (governed by *à*) replaces the dative. (Example : Je me fie à lui. Elle vous présente à lui.)

§ 21. Demonstrative Pronouns

Singular		Plural	
Masculine	Feminine	Masculine	Feminine
celui	celle	ceux	celles

Neuter

ce, ceci, cela (ça)

These words are pronouns ; they stand in the place of nouns, and must not be used to qualify nouns.

Notes. 1. They are often followed by a relative clause. (Example : *Celui qui* travaille avec moi est mon ami.)
2. Or by the preposition *de*. (Example : Voici mon cahier ; avez-vous vu *celui de* mon frère ?)
3. With *-ci* or *-là* added to them they can be used to distinguish two things. (Example : Voici deux roses ; je préfère celle-ci à celle-là.)
4. The little neuter *ce* is used as the subject of the verb *être* before a noun, a pronoun, an adjective, or an adverb. (Example : *C'est* Jacques qui arrive. *C'est* cela ! *C'est* possible. *C'est* ici.)

5. Be careful, when using *c'est* with pronouns, to use the stressed form of the pronoun and to use the correct person of the verb following. (Example : C'est *moi* qui *suis* le plus âgé.) Remember : C'*est* nous, c'*est* vous ; but ce *sont* eux, elles.
6. The two neuters *ceci*, *cela* refer to facts, statements, etc., but *not* to nouns. (Example : Écoutez *ceci*. C'est *cela* ! But : Notre maison et *celle* de notre voisin.)

§ 22. Interrogative Pronouns

For Persons

Nominative	qui ?	qui est-ce qui ?
Accusative	qui ?	qui est-ce que ?

(Example : Qui est là ? Moi. Or : Qui est-ce qui est là ? Moi. Qui voyez-vous ? Mon père. Or : Qui est-ce que vous voyez ? Mon père.)

For Things

Nominative		qu'est-ce qui ?
Accusative	que ?	qu'est-ce que ?
	quoi ?	

(Example : Qu'est-ce qui est sur la table ? Mon cahier. Que voyez-vous sur la table ? Mon cahier. Or : Qu'est-ce que vous voyez sur la table ? Mon cahier.)

Notes. 1. As you see, one form is wanting—a simple Nominative Case for Things ; you have to use the little formula " Qu'est-ce " to help out. When you use this little formula in the Accusative Case forms, remember you will then have to change the order of the verb and pronoun. (Example : Que voyez-vous là ? But : Qu'est-ce que vous voyez là ?)

2. After a preposition, use *qui* for persons, *quoi* for things. (Example : Avec *qui* êtes-vous venu ? Sur *quoi* êtes-vous assis ?)
3. Use *lequel*, *laquelle*, *lesquels*, *lesquelles* to make a distinction between two or more persons or things. (Example : Lequel de ces deux chapeaux préférez-vous ? Laquelle de vos deux amies est venue ?)

§ 23. Indefinite Pronouns

Singular		Plural	
Masculine	Feminine	Masculine	Feminine
chacun	chacune		
quelqu'un	quelqu'une	quelques-uns	quelques-unes
on	on		

Notes. 1. Notice carefully the spelling of *chacun* (*c* in the middle).

2. *On* is a most useful pronoun in French and it is not always easy to find an English equivalent. A vague " we " or " they " is about right, but very often " *on* " is used where we use a Passive Voice. Avoid the Passive Voice in French as much as possible. (Example : On dit qu'il est malade = They say he is sick. Or : He is said to be sick.)

   On is always the Subject of a sentence, never the Object. The verb with it is always in the 3rd Person Singular.

   The correct Reflexive Pronouns and Possessive

Adjectives to use with *on* are *se*, *soi*, *soi-même* ; *son*, *sa*, *ses*. (Example : *On* doit se lever de sa place quand il entre.)

§ 24. RELATIVE PRONOUNS

NOMINATIVE	qui
ACCUSATIVE	que
GENITIVE	dont

These are used both for persons and things. Relative Pronouns must often be inserted in French where they are omitted in English. (Example : Voici l'ami *que* j'ai vu hier.)

NOTES. 1. Be careful with the order of the words in a *dont* clause ; it is different from the English. (Example : L'ami *dont* j'ai vu la sœur = The man whose sister I saw. Word order : *dont*, Subject, Verb, Object.)

2. After a preposition, use *qui* for persons, *lequel*, *laquelle*, *lesquels*, *lesquelles* for things. (Example : L'ami avec *qui* je suis venu. La dame à qui je parle. La patience avec *laquelle* il m'a écouté.) If the preposition is *de*, or *à*, use the contracted forms of lequel, etc.—*duquel*, *de laquelle*, *desquels*, *desquelles* ; *auquel*, *à laquelle*, *auxquels*, *auxquelles*.

3. The little compound form *ce qui*, *ce que*, *ce dont* translate our English " what " at the head of a Noun Clause. (Example : Dites-moi *ce qui* est arrivé. Dites-moi *ce que* vous voulez. Dites-moi *ce dont* vous vous souvenez.)

§ 25. Adverbs

Adverbs, as their name implies, should be closely attached to the verb. We usually put them just in front (*e.g.* "He suddenly gave a cry"), but you must never do this in French. Put them either immediately *after* the verb, or else at the head of the sentence. (Example : "Tout à coup il poussa un cri." Or : "Il poussa tout à coup un cri.")

§ 26. Formation of Adverbs

Adverbs are formed by adding *-ment* to the feminine of the adjective. (Example : grand, grandement ; vif, vivement ; heureux, heureusement ; sec, sèchement.)

Notes. 1. Adjectives ending in *-ant*, *-ent* become adverbs in *-amment*, *-emment*. (Example : constant, constamment ; évident, évidemment.) *Lent*, however, becomes *lentement*, and *présent*, *présentement*.

2. Adjectives ending in a vowel add *-ment* directly to the masculine. (Example : poli, poliment ; sage, sagement.)

3. The following should be learnt :

Adjective	Adverb
bon	bien
mauvais	mal
meilleur	mieux
pire	pis
gentil	gentiment
bref	brièvement
gai	gaîment *or* gaiement

§ 27. Comparison of Adverbs

Adverbs are compared in the same way as adjectives—with *plus* and *le plus* (cf. p. 239). (Example: sagement, *plus* sagement, *le plus* sagement.)

Note.—The following list of irregular comparatives should be learnt (cf. p. 240).

Positive	Comparative	Superlative
bien	mieux	le mieux
mal	pis (plus mal)	le pis (le plus mal)
beaucoup	plus	le plus
peu	moins	le moins

§ 28. Negative Adverbs

ne . . . pas (=not)
ne . . . point (=not)
ne . . . rien (=nothing)
ne . . . que (=only)
ne . . . jamais (=never)
ne . . . guère (=hardly)
ne . . . plus (=no more)

Notes. 1. Put *ne* before the verb and *pas*, etc., after the verb. In a compound tense *ne* before and *pas* after the *Auxiliary*, not the Past Participle. (Example: Il *n*'est *pas* ici. Il *n*'a *pas* été ici.)

2. If there is a Pronoun Object, this must " cling " to the verb; therefore *ne* must go before this Pronoun Object. (Example: Il *ne* me voit *pas*. Elle *n*'y est *pas*.)

3. *Rien*, *personne*, *jamais* used alone have a negative meaning (=nothing, nobody, never), but do not forget that a negative sentence requires *both* parts of the negative adverb to be expressed. (Example:

Rien n'est arrivé. *Jamais* je *n*'ai vu une chose pareille.)

4. Do not forget that the correct form of the Partitive Article after a negative is *de* (not *du*, *de la*, *de l'*, *des*.) Compare § 3. 2, p. 236. (Example: Il n'a pas *de* pain. Elle ne vend pas *d*'œufs.)
5. *Si* is used instead of *oui* in answer to a negative question. (Example : Ne l'avez-vous pas vu hier ? *Si*, je l'ai vu.)

§ 29. Verbs

French verbs are conjugated in three ways :

	Infinitive	Present Participle	Past Participle	Present Indicative
I	donn*er*	donn*ant*	donn*é*	je donn*e*
II	fin*ir*	fin*issant*	fin*i*	je fin*is*
III	vend*re*	vend*ant*	vend*u*	je vend*s*

The Future is formed by adding to the Infinitive the terminations : *-ai*, *-as*, *-a*, *-ons*, *-ez*, *-ont*. (Verbs of the III type lose the silent *-e* final before the terminations. (Example : je *vendrai*.)

The Perfect, or Passé Composé, is formed by the Present Indicative of the auxiliary verb *avoir*, followed by the Past Participle of the verb itself. (Example : J'ai donné ; j'ai fini ; j'ai vendu.) Some few verbs, chiefly verbs of motion, take *être* instead of *avoir* (§ 33, p. 254).

The Imperfect is formed by changing the *-ant* of the Present Participle into *-ais*, *-ais*, *-ait*, *-ions*, *-iez*, *-aient*. (For Table of Verbs see pp. 258-65.)

§ 30. VERB. PRESENT TENSE

The French have only one form of the Present Tense. (Example: Je donne, I give, I am giving, I do give.)

NOTE. The Present Tense is used with *depuis*, *il y a*, *voilà*, followed by a word denoting length of time, to describe an action begun in the past but not yet completed. (Example: Je *suis* ici *depuis* trois heures. I have been here for three hours.)

§ 31. VERB. FUTURE TENSE

The Future is the tense of future time. So the French use it where in English we often use the Present, *e.g.* after *quand*, *lorsque*, etc. (Example: Dites-le-lui quand il *viendra*. Tell him when he comes.)

But notice that this is not the case after *si* (=if). (Example: Dites-le-lui s'il *vient*. Tell him if he comes.)

§ 32. VERB. IMPERFECT TENSE

The Imperfect Tense is used to denote a state of things in past time. You often find it used to describe the state of things when some other event took place. (Example : Il pleuvait quand je suis sorti. Elle descendait l'escalier quand elle est tombée. Il faisait beau quand nous sommes allés voir notre oncle.)

§ 33. Verb. " Passé Composé " or Perfect Tense

The " Passé Composé " is so called because it is " composed " of the Present Tense of the auxiliary verb *avoir* together with the Past Participle of the verb in question. It is used to denote what is completely finished at the time of speaking. Example :

j'ai donné	nous avons donné
tu as donné	vous avez donné
il a donné	ils ont donné

So : j'ai fini, etc. ; j'ai vendu, etc.

A few verbs, chiefly verbs of motion, together with all Reflexive Verbs are conjugated with the Present Tense of the auxiliary verb *être*, instead of *avoir*. Example :

je suis allé	nous sommes allés
tu es allé	vous êtes allés
il est allé	ils sont allés

The following is a list of these verbs, arranged by " opposites " :

aller	arriver	entrer	descendre	naître	rester
venir	partir	sortir	monter	mourir	tomber

To these must be added their compounds, *e.g.* revenir, rentrer, etc.

This list should be learnt.

§ 34. Verb. Agreement of the Past Participle

If the verb is conjugated with *être*, the Past Participle agrees with the Subject, exactly like an adjective. (Example: Nous y sommes allé*s*. Elle est rentré*e*.)

If the verb is conjugated with *avoir*, the Past Participle agrees with the Direct Object, but only if the Object precedes. (Example: J'ai acheté des roses. But: Les roses que j'ai acheté*es* sont belles. Où est la dame que j'ai vu*e* hier ?)

Reflexive Verbs, though conjugated with *être*, follow the *avoir* rule—that is, the Past Participle agrees with the Reflexive Pronoun only when the Reflexive Pronoun is a Direct Object. (Example: Elles se sont levé*es* de bonne heure ce matin. Nous nous sommes tenu*s* debout pendant une heure. But: Elle s'est choisi un nouveau chapeau. Ma sœur et son amie se sont écrit pendant cinq ans.)

§ 35. Verb. Interrogative Forms

donné-je ?	donnons-nous ?
donnes-tu ?	donnez-vous ?
donne-t-il ?	donnent-ils ?
donne-t-elle ?	donnent-elles ?

If the 3rd Person Singular of the verb ends in a vowel, add *-t-* before *il*, *elle*. (Example : Ouvre-t-il la porte ? A-t-il sa casquette ?)

NOTES. 1. A question may be asked very simply by intonation, raising the note of the voice. (Example : Vous êtes là ? (_ – ‾).)

2. If there is a pronoun attached to the verb, you may ask the question by simple inversion. (Example : Êtes-vous là ? Où allez-vous ?)

3. A very common method is to prefix the little phrase *Est-ce que* to a statement. (Example : *Est-ce que* vous êtes là ? *Est-ce que* vous allez au village ?)

4. If there is no pronoun attached to the verb, then add one, in the correct position after the verb, to represent the subject of the sentence. (Example : Votre mère est-*elle* partie ? Toto n'est-*il* pas là ?)

5. Notice that it is necessary to invert the verb in French when the phrase of some speaker has been actually quoted. (Example : " Une minute," me *dit-il*, " je viens avec vous.")

§ 36. VERB. CERTAIN PECULIARITIES

In the following pages you will find a list of " irregular " verbs which you should learn. But this section deals with verbs not really " irregular," yet offering some difficulty, chiefly of spelling.

NOTES. 1. Verbs whose Infinitive ends in *-cer* need a cedilla before endings which begin with *a* or *o*. (Example : je commence ; nous commençons ; il commençait.)

2. Verbs whose Infinitive ends in *-ger* need an *e* before endings which begin with *a* or *o*. (Example : je mange ; nous mangeons ; il mangeait.)
3. Verbs whose Infinitive ends in *-oyer* or *-uyer* change *y* into *i* before *e* mute. (Example : j'emploie ; nous employons ; il essuie ; nous essuyons.) With verbs ending in *-ayer*, however, it is usual to keep the *y*. (Example : il paye ; ils payent.)
4. Verbs which have an *e* mute in the root syllable lengthen this *e* into *è* when followed by the *e*-mute endings in *-e*, *-es*, *-ent* and before the mute syllable in the Future. (Example : je mène, tu mènes, il mène, nous menons, vous menez, ils mènent ; je mènerai ; levez-vous ; je me lève.)
5. Verbs whose Infinitive ends in *-eler*, *-eter* double the *l* or the *t* before the *e*-mute terminations in *-e*, *-es*, *-ent* and before the mute syllable in the Future. (Example : j'appelle, nous appelons, j'appellerai ; je jette, nous jetons, je jetterai.)

   Acheter and *geler*, however, follow the other way. (Example : j'achète, nous achetons, il achètera ; il gèle.)
6. Verbs which have an *é* in the root syllable lengthen this *é* into *è* when followed by the *e*-mute terminations *-e*, *-es*, *-ent*, but not before the mute syllable in the Future. (Example : je règle, nous réglons ; j'espère, nous espérons ; je réglerai ; j'espérerai.)

TYPES DE

Type	*Infinitif*	*Participes—Présent et Passé*	*Impératif*	*Présent de l'Indicatif*
I	donner	donnant donné	donne donnons donnez	je donne tu donnes il donne nous donnons vous donnez ils donnent
II	finir	finissant fini	finis finissons finissez	je finis tu finis il finit nous finissons vous finissez ils finissent
III	vendre	vendant vendu	vends vendons vendez	je vends tu vends il vend nous vendons vous vendez ils vendent
IV	se cacher	se cachant caché	cache-toi cachons-nous cachez-vous	je me cache tu te caches il se cache nous nous cachons vous vous cachez ils se cachent

VERBES

Futur	*Passé Composé*	*Imparfait*
je donnerai tu donneras il donnera nous donnerons vous donnerez ils donneront	j'ai donné tu as donné il a donné nous avons donné vous avez donné ils ont donné	je donnais tu donnais il donnait nous donnions vous donniez ils donnaient
je finirai tu finiras il finira nous finirons vous finirez ils finiront	j'ai fini tu as fini il a fini nous avons fini vous avez fini ils ont fini	je finissais tu finissais il finissait nous finissions vous finissiez ils finissaient
je vendrai tu vendras il vendra nous vendrons vous vendrez ils vendront	j'ai vendu tu as vendu il a vendu nous avons vendu vous avez vendu ils ont vendu	je vendais tu vendais il vendait nous vendions vous vendiez ils vendaient
je me cacherai tu te cacheras il se cachera nous nous cacherons vous vous cacherez ils se cacheront	je me suis caché tu t'es caché il s'est caché nous nous sommes cachés vous vous êtes cachés ils se sont cachés	je me cachais tu te cachais il se cachait nous nous cachions vous vous cachiez ils se cachaient

VERBES IRRÉGULIERS EN " -ER "

Infinitif	*Participes— Présent et Passé*	*Présent de l'Indicatif*		*Futur*	*Passé Composé*	*Imparfait*
aller	allant allé	je vais tu vas il va	nous allons vous allez ils vont	j'irai, etc.	je suis allé, etc.	j'allais, etc.
appeler	appelant appelé	j'appelle tu appelles il appelle	nous appelons vous appelez ils appellent	j'appellerai, etc.	j'ai appelé, etc.	j'appelais, etc.
commencer	commençant commencé	je commence tu commences il commence	nous commençons vous commencez ils commencent	je commencerai, etc.	j'ai commencé, etc.	je commençais, etc.
envoyer	envoyant envoyé	j'envoie tu envoies il envoie	nous envoyons vous envoyez ils envoient	j'enverrai, etc.	j'ai envoyé, etc.	j'envoyais, etc.
jeter	jetant jeté	je jette tu jettes il jette	nous jetons vous jetez ils jettent	je jetterai, etc.	j'ai jeté, etc.	je jetais, etc.
lever	levant levé	je lève tu lèves il lève	nous levons vous levez ils lèvent	je lèverai, etc.	j'ai levé, etc.	je levais, etc.
manger	mangeant mangé	je mange tu manges il mange	nous mangeons vous mangez ils mangent	je mangerai, etc.	j'ai mangé, etc.	je mangeais, etc.

régler	réglant réglé	je règle tu règles il règle	nous réglons vous réglez ils règlent	je réglerai, etc.	j'ai réglé, etc.	je réglais, etc.
VERBES IRRÉGULIERS EN « -IR »						
courir	courant couru	je cours tu cours il court	nous courons vous courez ils courent	je courrai, etc.	j'ai couru, etc.	je courais, etc.
cueillir	cueillant cueilli	je cueille tu cueilles il cueille	nous cueillons vous cueillez ils cueillent	je cueillerai, etc.	j'ai cueilli, etc.	je cueillais, etc.
dormir	dormant dormi	je dors tu dors il dort	nous dormons vous dormez ils dorment	je dormirai, etc.	j'ai dormi, etc.	je dormais, etc.
fuir	fuyant fui	je fuis tu fuis il fuit	nous fuyons vous fuyez ils fuient	je fuirai, etc.	j'ai fui, etc.	je fuyais, etc.
haïr	haïssant haï	je hais tu hais il hait	nous haïssons vous haïssez ils haïssent	je haïrai, etc.	j'ai haï, etc.	je haïssais, etc.
mourir	mourant mort	je meurs tu meurs il meurt	nous mourons vous mourez ils meurent	je mourrai, etc.	je suis mort, etc.	je mourais, etc.
ouvrir	ouvrant ouvert	j'ouvre tu ouvres [illegible] ouvre	nous ouvrons vous ouvrez ils ouvrent	j'ouvrirai, etc.	j'ai ouvert, etc.	j'ouvrais, etc.

Infinitif	*Participes—Présent et Passé*	*Présent de l'Indicatif*		*Futur*	*Passé Composé*	*Imparfait*
partir	partant parti	je pars tu pars il part	nous partons vous partez ils partent	je partirai, etc.	je suis parti, etc.	je partais, etc.
tenir	tenant tenu	je tiens tu tiens il tient	nous tenons vous tenez ils tiennent	je tiendrai, etc.	j'ai tenu, etc.	je tenais, etc.
vêtir	vêtant vêtu	je vêts tu vêts il vêt	nous vêtons vous vêtez ils vêtent	je vêtirai, etc.	j'ai vêtu, etc.	je vêtais, etc.
VERBES IRRÉGULIERS EN " -RE "						
battre	battant battu	je bats tu bats il bat	nous battons vous battez ils battent	je battrai, etc.	j'ai battu, etc.	je battais, etc.
boire	buvant bu	je bois tu bois il boit	nous buvons vous buvez ils boivent	je boirai, etc.	j'ai bu, etc.	je buvais, etc.
conduire	conduisant conduit	je conduis tu conduis il conduit	nous conduisons vous conduisez ils conduisent	je conduirai, etc.	j'ai conduit, etc.	je conduisais, etc.
connaître	connaissant connu	je connais tu connais il connaît	nous connaissons vous connaissez ils connaissent	je connaîtrai, etc.	j'ai connu, etc.	je connaissais, etc.

craindre	craignant craint	je crains tu crains il craint	nous craignons vous craignez ils craignent	je craindrai, etc.	j'ai craint, etc.	je craignais, etc.
croire	croyant cru	je crois tu crois il croit	nous croyons vous croyez ils croient	je croirai, etc.	j'ai cru, etc.	je croyais, etc.
dire	disant dit	je dis tu dis il dit	nous disons vous dites ils disent	je dirai, etc.	j'ai dit, etc.	je disais, etc.
écrire	écrivant écrit	j'écris tu écris il écrit	nous écrivons vous écrivez ils écrivent	j'écrirai, etc.	j'ai écrit, etc.	j'écrivais, etc.
être	étant été	je suis tu es il est	nous sommes vous êtes ils sont	je serai, etc.	j'ai été, etc.	j'étais, etc.
faire	faisant fait	je fais tu fais il fait	nous faisons vous faites ils font	je ferai, etc.	j'ai fait, etc.	je faisais, etc.
lire	lisant lu	je lis tu lis il lit	nous lisons vous lisez ils lisent	je lirai, etc.	j'ai lu, etc.	je lisais, etc.
mettre	mettant mis	je mets tu mets il met	nous mettons vous mettez ils mettent	je mettrai, etc.	j'ai mis, etc.	je mettais, etc.

Infinitif	*Participes— Présent et Passé*	*Présent de l'Indicatif*		*Futur*	*Passé Composé*	*Imparfait*
plaire	plaisant plu	je plais tu plais il plaît	nous plaisons vous plaisez ils plaisent	je plairai, etc.	j'ai plu, etc.	je plaisais, etc.
prendre	prenant pris	je prends tu prends il prend	nous prenons vous prenez ils prennent	je prendrai, etc.	j'ai pris, etc.	je prenais, etc.
rire	riant ri	je ris tu ris il rit	nous rions vous riez ils rient	je rirai, etc.	j'ai ri, etc.	je riais, etc.
suivre	suivant suivi	je suis tu suis il suit	nous suivons vous suivez ils suivent	je suivrai, etc.	j'ai suivi, etc.	je suivais, etc.
vivre	vivant vécu	je vis tu vis il vit	nous vivons vous vivez ils vivent	je vivrai, etc.	j'ai vécu, etc.	je vivais, etc.
VERBES IRRÉGULIERS EN " -OIR "						
asseoir	asseyant assis	j'assieds tu assieds il assied	nous asseyons vous asseyez ils asseyent	j'assiérai, etc.	j'ai assis, etc.	j'asseyais, etc.
avoir	ayant eu	j'ai tu as il a	nous avons vous avez ils ont	j'aurai, etc.	j'ai eu, etc.	j'avais, etc.

devoir	devant dû (*f.* due)	je dois tu dois il doit	nous devons vous devez ils doivent	je devrai, etc.	j'ai dû, etc.	je devais, etc.
falloir	fallu	il faut		il faudra	il a fallu	il fallait
pleuvoir	pleuvant plu	il pleut		il pleuvra	il a plu	il pleuvait
pouvoir	pouvant pu	je peux (puis) tu peux il peut	nous pouvons vous pouvez ils peuvent	je pourrai, etc.	j'ai pu, etc.	je pouvais, etc.
savoir	sachant su	je sais tu sais il sait	nous savons vous savez ils savent	je saurai, etc.	j'ai su, etc.	je savais, etc.
voir	voyant vu	je vois tu vois il voit	nous voyons vous voyez ils voient	je verrai, etc.	j'ai vu, etc.	je voyais, etc.
vouloir	voulant voulu	je veux tu veux il veut	nous voulons vous voulez ils veulent	je voudrai, etc.	j'ai voulu, etc.	je voulais, etc.

TO BE ABLE

TIME

1. The Clock

Quelle heure est-il ?

Il est une heure
" " " " cinq
" " " " dix
" " " " et quart
" " " " vingt
" " " " vingt-cinq
" " " " et demie
Il est deux heures moins vingt-cinq
" " " " " vingt
" " " " " le quart
" " " " " dix
" " " " " cinq

So : il est trois heures ; il est quatre heures ; il est onze heures ; il est midi (or minuit).

Notes. 1. Always use *midi* or *minuit*, never " douze heures."

2. 12.30 is midi et *demi*, or, minuit et *demi*.

3. The numbers 13, 14, etc., are used for the afternoon hours on time-tables, etc., but in ordinary conversation English " a.m." and " p.m." are rendered by " du matin " and " du soir." (Example : 7 p.m. Sept heures du soir.)

2. Days, Months and Years

Days of the Week

dimanche
lundi
mardi
mercredi
jeudi
vendredi
samedi

Months of the Year

janvier	mai	septembre
février	juin	octobre
mars	juillet	novembre
avril	août	décembre

All these are masculine, as are also the seasons : le printemps, l'été, l'automne et l'hiver.

NOTES. 1. The easiest way to express dates is by hundreds. (Example : dix-neuf cent trente-sept.)

2. Use the cardinal numbers for dates, and do not express either " on " or " of." (Example : le cinq mars, dix-neuf cent trente-sept. But note : le *premier* décembre ; le *premier* juillet, etc.)

3. Always write *le* huit and *le* onze in dates (not *l'*).

4. Remember how to express age. (Example : Quel âge *avez*-vous ? J'*ai* douze ans. Quel âge *a*-t-elle ? Elle *a* quinze ans.)

WEIGHTS AND MEASURES

MONEY

100 centimes (ct.) = 1 franc (fr.)

5 ct. = 1 sou

The sou is an old-fashioned way of reckoning, but it is still used enough in France to make it worth knowing about. It is used for reckoning small amounts, especially by peasants and market folk.

At the present time, currency in France is chiefly paper, and notes are issued for amounts from 5 fr. upwards. Coins, made of nickel or light alloys in a wide variety of designs, are used for small amounts—10 fr., 5 fr., 2 fr., 1 fr. and 50 ct. Devaluation of the franc is resulting in the disappearance, for the time being, of some of the smaller coins. The details of French coinage are constantly changing. See what you can find out about them.

STAMPS

Before the war to post a letter from France to England cost 1 fr. 75 ; a post card 1 fr.

French people used to pay 50 ct. for a letter within France and 40 ct. for a post card.

We paid 2½d. for a letter to France and 1½d. for a post card.

Try to discover the present postage rates, including air mail.

WEIGHT

You will notice that coinage, weights, etc., in France are based on the decimal system, which is a very convenient and easy way of reckoning. For weights, the two usual weights are a gramme (gr.) and a kilogramme, usually called a "kilo," which is 1000 grammes, or about 2¼ lb. English. The French pound, or "la livre," often used (e.g. for butter) is half of this and is therefore heavier than our English pound. So if you buy "un quart" or "un demi" of sweets in France, you will get rather more than if you bought a quarter or a half-pound in England.

Capacity

You buy milk, methylated spirit (alcool à brûler), perfume, etc., in France by litres and fractions of a litre. The litre is about 1¾ English pints.

Measure

You buy cloth, etc., by the metre (le mètre), which is rather more than an English yard, for it is 39.37 ins. 1000 mètres (m.) = 1 kilomètre (km.). The kilometre is used along the roads, which makes walking in France seem easier to do—the "milestones" come much oftener! (8 km. = 5 English miles.)

Measurements may be expressed in more than one way; a simple way is to use the adjective. (Example: Cette rue est longue de 300 m. et large de 12 m.)

Notice that all these measures (le mètre, le litre, le kilogramme, etc.) are masculine gender.

In the metric system, French people use a comma (la virgule) where we use a stop. (Example: 7,57 where we write 7.57.)

NUMERALS

1. un, une
2. deux
3. trois
4. quatre
5. cinq
6. six
7. sept
8. huit
9. neuf
10. dix
11. onze
12. douze
13. treize
14. quatorze
15. quinze
16. seize
17. dix-sept
18. dix-huit
19. dix-neuf
20. vingt
21. vingt et un
22. vingt-deux
23. vingt-trois, etc.
30. trente
31. trente et un
32. trente-deux
33. trente-trois, etc.
40. quarante
41. quarante et un
42. quarante-deux, etc.
50. cinquante
51. cinquante et un
52. cinquante-deux, etc.
60. soixante
61. soixante et un
62. soixante-deux, etc.
70. soixante-dix
71. soixante et onze
72. soixante-douze
73. soixante-treize, etc.
80. quatre-vingts
81. quatre-vingt-un
82. quatre-vingt-deux, etc.
90. quatre-vingt-dix
91. quatre-vingt-onze, etc.
100. cent
101. cent un, etc.
120. cent vingt
121. cent vingt et un
122. cent vingt-deux
200. deux cents
201. deux cent un, etc.
1000. mille

NOTES. 1. *Et* is used to connect the six numbers 21, 31, 41, 51, 61, 71.

2. *Vingt* and *cent* take *-s* when multiplied by one number

and not followed by another. (Example: quatre-vingt*s*; quatre-vingt-cinq.) *N.B.*: *cent* does not vary in dates. (Example: l'an dix-neuf cent.)

3. *Mille* (=a thousand) never takes *-s*. (Example: deux mille; cinq mille cinq cents.) In dates, write *mil*, not *mille*. (Example: mil neuf cent trent-sept, or: dix-neuf cent trente-sept.)

4. Ordinal numbers are formed by adding *-ième* to the cardinals. (Example: trois, troisième; huit, huitième.) If the cardinal ends in *-e*, drop this *-e* before *-ième*. (Example: quatre, quatrième.) "First" is "premier, première"; "cinq" gives "cinquième," and "neuf," "neuvième." 21st, 31st, etc., give "vingt et unième," "trente et unième," etc.

ACCENTS AND PUNCTUATION

French accents and punctuation marks are:

é	l'accent aigu	,	la virgule
è	l'accent grave	.	le point
ê	l'accent circonflexe	;	le point-virgule
l'	une apostrophe	:	les deux points
ç	la cédille	?	le point d'interrogation
a-t-il	le trait d'union	!	le point d'exclamation
A	la majuscule	—	le tiret
a	la minuscule	( )	les parenthèses
		« »	les guillemets

NOTES. 1. Accents are not written on capital letters, except on the letter E. (Example: L'Ile de la Cité. Agé de vingt ans. THÉATRE.)

2. If two words are connected by an apostrophe (Example: l'homme), they must not be separated by the first one reaching the end of a line.

3. French syllables begin with the consonant and end with the vowel. (Example: la ré|pu|bli|que; la con|si|dé|ra|tion.) This serves as a guide to pronunciation—compare the English "republic" with the French "ré|pu|bli|que." In writing, be careful to divide your word at the end of a line in accordance with this rule.

4. In an enumeration, use commas, then in joining the last two, use *et* and no comma. (Example: les hommes, les dames et les enfants. Les roses, les pensées, les tulipes et les chrysanthèmes sont des fleurs.)

VENEZ VOIR!

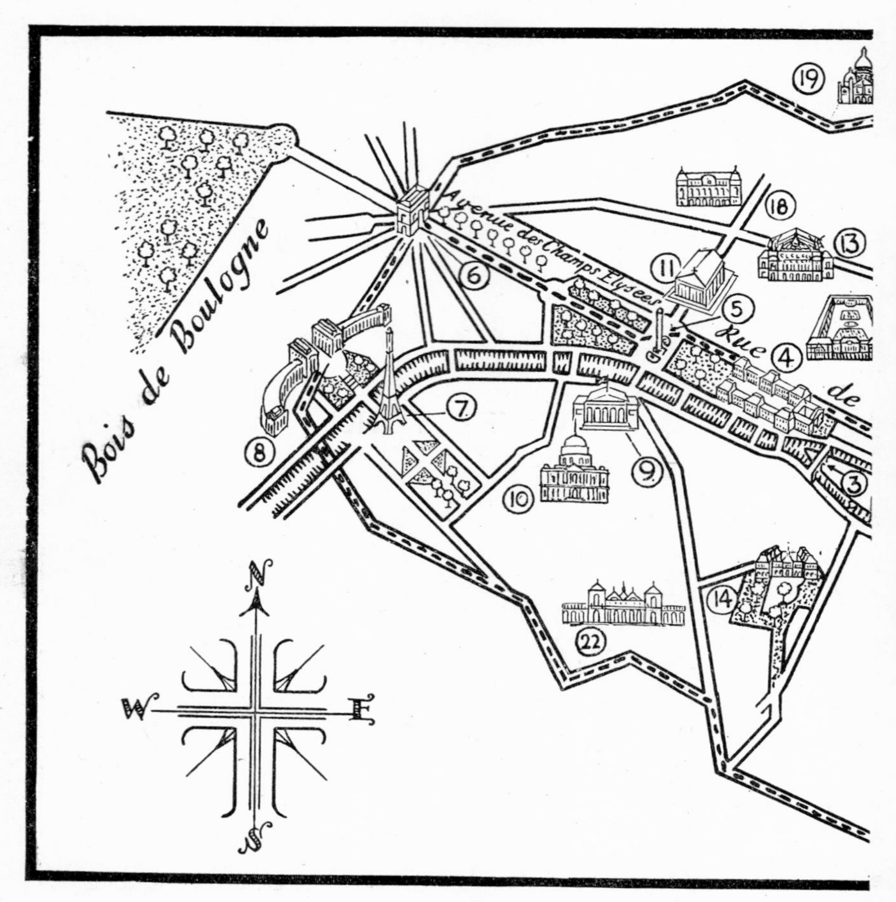

1. Notre-Dame de Paris
2. Hôtel de Ville
3. Pont-Neuf
4. Le Louvre
5. Place de la Concorde
6. L'Arc de Triomphe
7. La Tour Eiffel
8. L'Exposition
9. Chambre des Députés
10. Les Invalides
11. La Madeleine
12. Palais-Royal

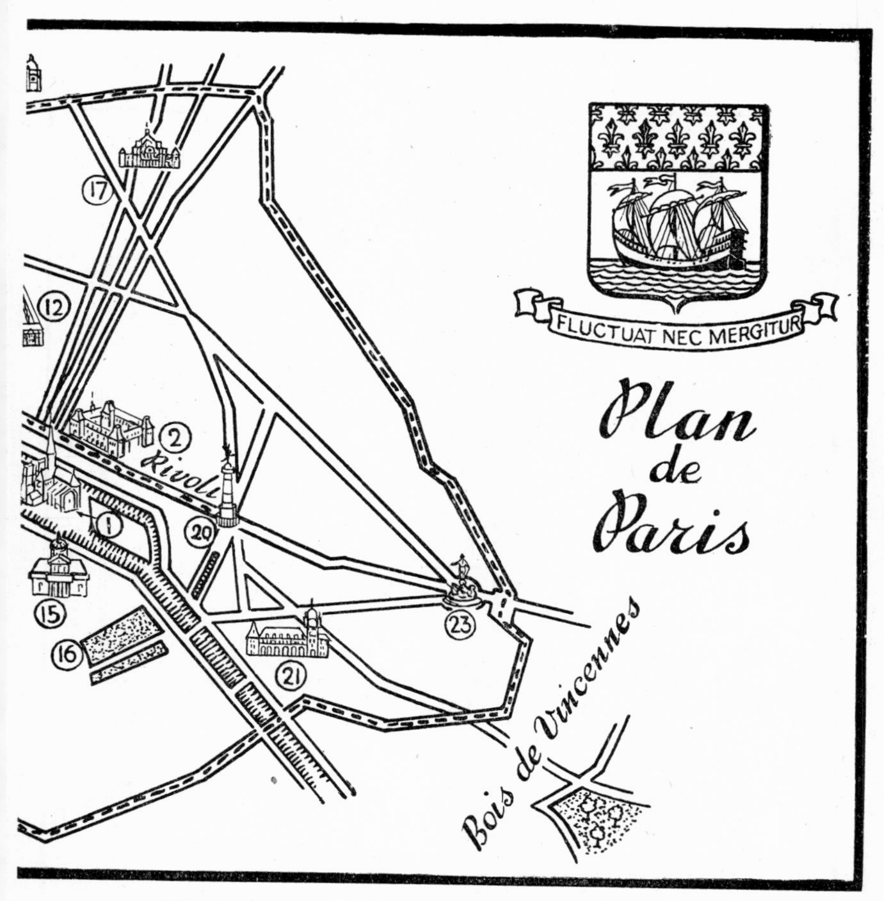

13. L'Opéra
14. Le Luxembourg
15. Le Panthéon
16. Jardin des Plantes
17. Gare du Nord
18. Gare St. Lazare
19. Sacré-Cœur
20. Place de la Bastille
21. Gare de Lyon
22. Gare Montparnasse
23. Place de la Nation

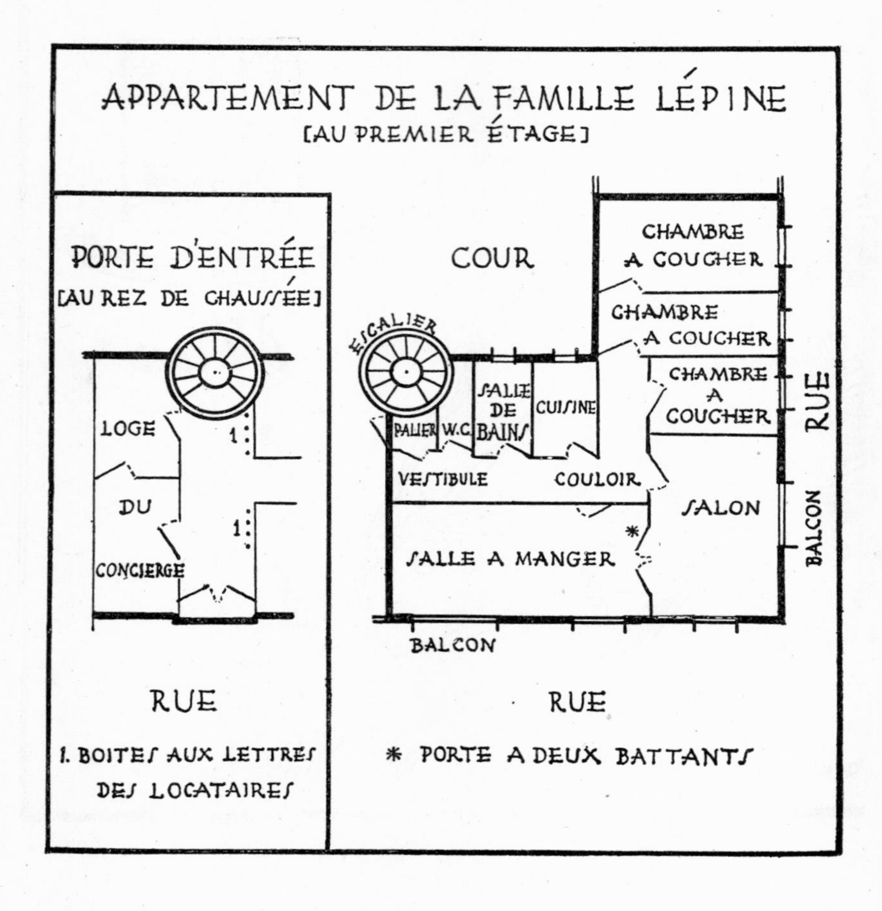
APPARTEMENT DE LA FAMILLE LÉPINE
[AU PREMIER ÉTAGE]
PORTE D'ENTRÉE
[AU REZ DE CHAUSSÉE]
LOGE
DU
CONCIERGE
1
1
RUE
1. BOITES AUX LETTRES DES LOCATAIRES
COUR
ESCALIER
PALIER
W.C.
SALLE DE BAINS
CUISINE
CHAMBRE A COUCHER
CHAMBRE A COUCHER
CHAMBRE A COUCHER
VESTIBULE
COULOIR
SALON
SALLE A MANGER
*
BALCON
BALCON
RUE
RUE
* PORTE A DEUX BATTANTS

LA RUE

1. le trottoir
2. la chaussée
3. le passage clouté
4. le stationnement des autos
5. la boîte aux lettres
6. le kiosque à journaux
7. l'entrée (*f.*) du métro-(politain)
8. un arrêt de l'autobus
9. un autobus
10. la boîte aux numéros
11. SENS UNIQUE
12. le piéton
13. le réverbère
14. la plaque de la rue
15. le restaurant
16. la bicyclette

LA TABLE DE LA SALLE A MANGER

1. la nappe
2. l'assiette (*f.*)
3. la serviette dans son enveloppe
4. le couteau
5. la fourchette
6. la cuillère
7. le verre
8. le verre à vin
9. le (petit) pain

2-9. le couvert

10. la corbeille à pain
11. la soupière
12. la saucière
13. la carafe d'eau
14. la bouteille de vin
15. l'huilier

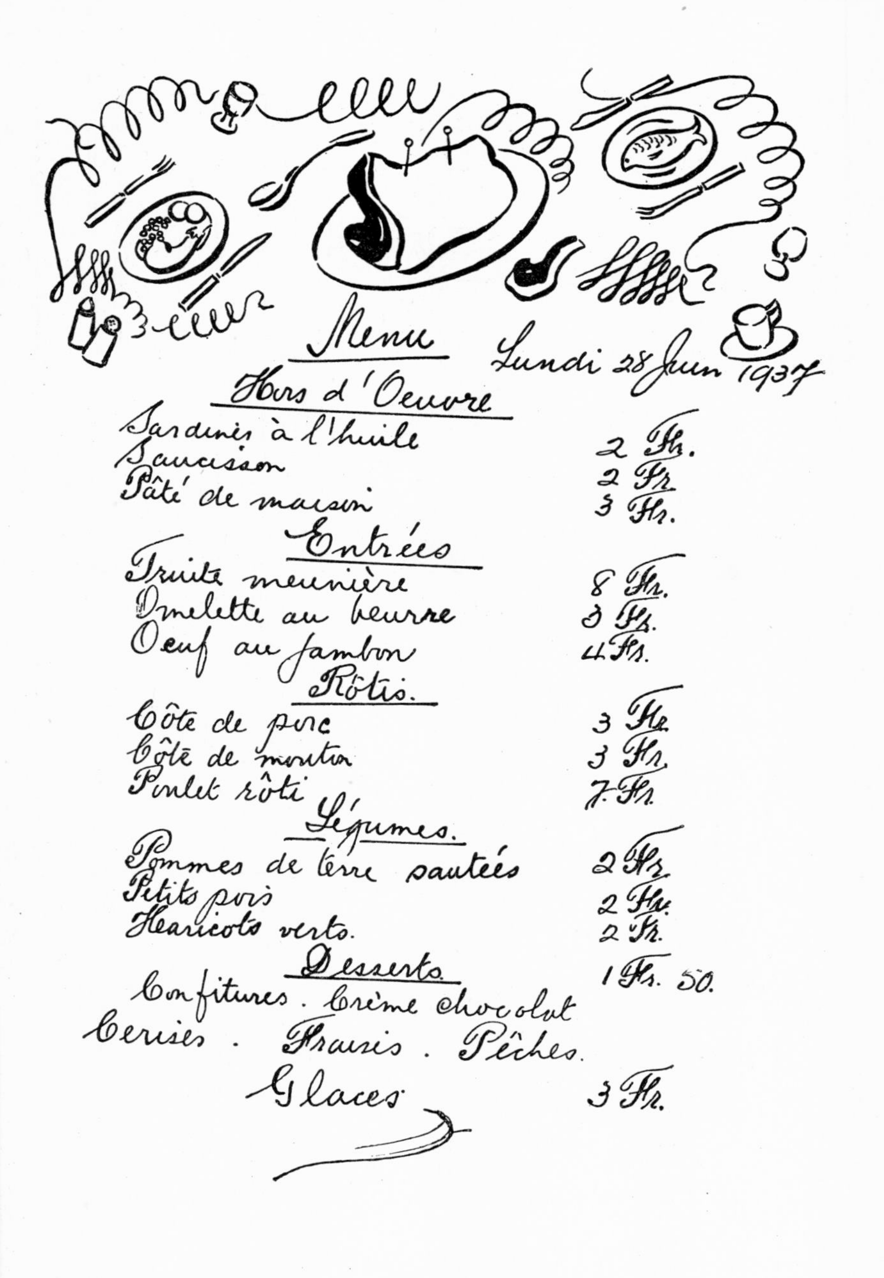

Menu

Lundi 28 Juin 1937

Hors d'Oeuvre

Sardines à l'huile — 2 Fr.
Saucisson — 2 Fr
Pâté de maison — 3 Fr.

Entrées

Truite meunière — 8 Fr.
Omelette au beurre — 3 Fr.
Oeuf au jambon — 4 Fr.

Rôtis.

Côte de porc — 3 Fr.
Côte de mouton — 3 Fr.
Poulet rôti — 7 Fr.

Légumes.

Pommes de terre sautées — 2 Fr.
Petits pois — 2 Fr.
Haricots verts. — 2 Fr.

Desserts. — 1 Fr. 50.

Confitures. Crème chocolat
Cerises. Fraises. Pêches.

Glaces — 3 Fr.

LE THÉATRE

1. l'acteur (*m.*)
2. l'actrice (*f.*)
3. la scène
4. le rideau
5. les coulisses (*f.*)
6. le trou du souffleur
7. la rampe
8. les feux de la rampe
9. l'orchestre (*m.*)
10. le chef d'orchestre
11. la loge
12. la baignoire
13. le premier balcon
14. le deuxième balcon
15. le parterre
16. la galerie (le " poulailler ")
17. les spectateurs (*m.*)
18. la sortie
19. l'ouvreuse (*f.*)
20. le projecteur

LA GARE

1. le quai
2. la locomotive
3. le compartiment de 2e classe
4. la portière
5. le compartiment " fumeurs "
6. le guichet
7. la consigne
8. la charrette
9. le porteur
10. l'horloge (*f.*)
11. la malle
12. la valise
13. le carton (à chapeaux)
14. le voyageur
15. le marchand de journaux
16. la glace

LE MARCHAND DES QUATRE SAISONS

1. la charrette
2. le chou-fleur
3. un artichaut
4. la botte de carottes
5. la tomate
6. la salade
7. la pomme de terre
8. la pêche
9. la cerise
10. un abricot
11. la pomme
12. le melon

FLEURS DES CHAMPS ET FLEURS DU JARDIN

1. la violette
2. la bruyère
3. le bouton d'or
4. le liseron
5. la campanule
6. la dent-de-lion

1. le (la) perce-neige
2. le muguet
3. la rose
4. la pensée
5. la tulipe
6. le chrysanthème

A

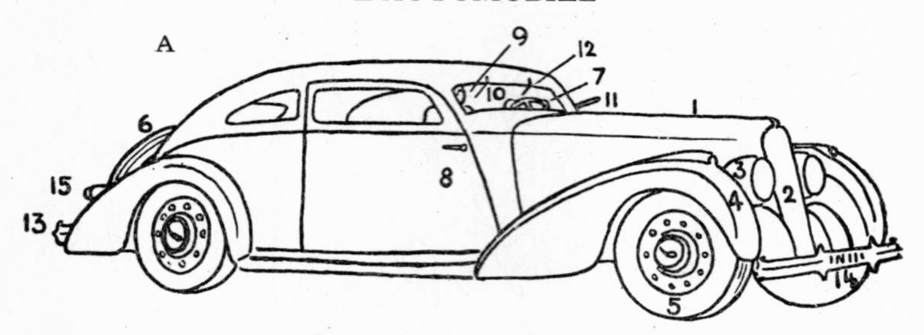

1. le capot
2. le radiateur
3. le phare
4. le garde-boue
5. la roue
6. la roue de rechange
7. le volant
8. la portière
9. le chauffeur (conducteur)
10. le pare-brise
11. l'indicateur (*m.*) de direction
12. l'essuie-glace (*m.*)
13. le porte-bagages
14. la plaque (avec le numéro)
15. le feu de " stop."

B

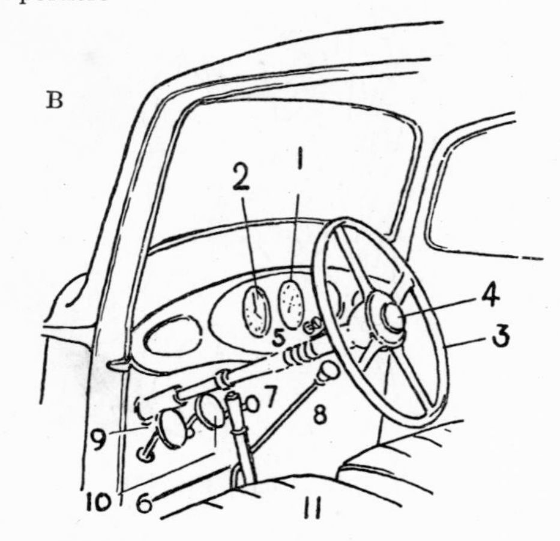

1. le tachymètre
2. la pendule
3. le volant
4. le klaxon (l'avertisseur, *m.*)
5. le démarreur automatique
6. le frein à main (le levier de frein)
7. l'accélérateur (*m.*)
8. le levier des vitesses
9. la pédale de débrayage
10. la pédale de frein
11. le siège

VOCABULARY

(For verbs marked *, see Table of Irregular Verbs, pp. 258-65.)

à, at; to; **c'est à moi de parler**, it's for me to speak
abandonner, to give up
un **abat-jour**, lampshade
***abattre**, to fell (Conjugate like ***battre**)
une **abbaye**, abbey
une **abeille**, bee
abominable, abominable
abondant, abundant
d'**abord**, at first; first; immediately
aborder, to land; to touch
un **abricot**, apricot
abrupt, abrupt, sharp, steep
absolu, absolute
absolument, absolutely
un **accent**, accent
accepter, to accept
un **accident**, accident
acclamer, to applaud
accompagné de, accompanied by
accomplir, to accomplish, perform
d'**accord**, agreed, granted
***accourir**, to hasten up (Conjugate like ***courir**)
un **acteur**, actor
une **actrice**, actress
une **addition**, addition; bill
***admettre**, to admit (Conjugate like ***mettre**)
admirablement, admirably
adorable, adorable, heavenly
adorer, to adore
une **adresse**, address
s'**adresser (à)**, to address
une **affaire**, affair; **les affaires**, business; **c'est votre affaire**, just the thing for you
affairé, busy
une **affiche**, poster
affreux, awful, terrible
afin de, in order to
un **âge**, age; **le moyen âge**, the Middle Ages; **quel âge avez-vous?** how old are you?
s'**agenouiller**, to kneel down
un **agent de police**, policeman
agiter, to shake, wave, brandish
agréable, pleasant
une **aide**, help
aider, to help
une **aiguille**, needle
aiguiser, to sharpen
une **aile**, wing; **battre des ailes**, flap their wings
ailleurs, elsewhere
d'**ailleurs**, besides
aimable, kind
aimer, to like, love; **bien aimé**, beloved
s'**aimer**, to love each other
ainsi, thus
un **air**, air; appearance, look; **en plein air**, in the open air
aisé, easy
aisément, easily
ajouter, to add
s'**aligner**, to line up; to arrange in rows
une **allée**, walk, path
***aller**, to go; to be (of health); to suit (of clothes); **comment allez-vous?** how do you do?

Allons ! Come on ! **cela va sans dire**, that goes without saying
s'en ***aller**, to go away
allumer, to light
une **allumette**, match
alors, then ; therefore, so ; **alors que**, when
un **alpiniste**, mountaineer
une **altitude**, altitude
un **amant**, lover
amarré, moored
une **âme**, soul
***amener**, to bring (Conjugate like ***lever**)
un **ami**, friend
un **amour**, love
un **amoureux**, lover
amusant, amusing
amusé, amused
s'amuser, to amuse oneself, have a good time
un **an**, year ; le **jour de l'an**, New Year's Day
un **ananas**, pineapple
ancien (*f.* **ancienne**), old, former
un **ange**, angel
anglais, English
un **Anglais**, Englishman
un **angle**, angle
l'Angleterre (*f.*), England
un **animal**, animal
animer, to animate, enliven
une **année**, year
un **anniversaire**, birthday
***annoncer**, to announce (Conjugate like ***commencer**)
un **août**, August
un **apache**, hooligan, "tough"
apaiser, to quiet, soothe
***apercevoir**, to perceive (Conjugate like ***devoir**)
un **apothicaire**, apothecary
***apparaître**, to appear (Conjugate like ***connaître**)
un **appareil**, (photographic) camera
un **appartement**, flat (in a house)
***appartenir**, to belong (Conjugate like ***tenir**)
***appeler**, to call
***s'appeler**, to be called ; **comment s'appelle-t-il ?** what is his name ?
applaudir, to applaud
appliquer, to apply ; **appliquer une bonne claque**, to give a good slap
apporter, to bring
***apprendre**, to learn (Conjugate like ***prendre**)
s'apprêter à, to prepare to
(s')approcher (**de**), to approach
appuyé sur, leaning on
après, after
une **après-midi**, afternoon
un **arbitre**, judge, referee
un **arbre**, tree
un **arc**, arch
une **arcade**, arcade
un **argent**, silver ; money
un **aristocrate**, aristocrat
Aristote, Aristotle, Greek philosopher
armé (**de**), armed (with)
arracher (**à**), to pull, snatch (from)
un **arracheur**, drawer, puller
***arranger**, to arrange (Conjugate like ***manger**)
s'arranger pour, to arrange to
un **arrêt**, stop, stopping-place ; **arrêt facultatif**, request stop
arrêter, stop, arrest
s'arrêter, to stop
arrière, back ; **en arrière**, backward

une **arrivée**, arrival
arriver, to arrive ; to come to ; to happen
un **ascenseur**, lift
une **ascension**, climb ; **faire une ascension**, to do a climb
assassiné, assassinated
*s'asseoir, to sit down ; **assis**, sitting
assez, enough
une **assiette**, plate
une **assistance**, help
une **assistante**, foreign assistant (in a girls' school)
assuré, assured
assurément, surely
assurer, to assure, affirm
atroce, atrocious
attacher, to fasten
attaquer, to attack
s'attarder, to linger
en **attendant**, meantime
attendre, to wait for ; **en attendant**, meantime
une **attente**, wait
attentif (*f.* **attentive**), attentive, watchful
une **attention**, attention ; **faire attention**, to pay attention. **Attention** ! Look-out ! Be careful !
attraper, to catch
au (*pl.* **aux**), to the, at the
une **auberge**, inn
un **aubergiste**, innkeeper
aucun (ne with the verb), no, not any
au-dessous de, below
au-dessus de, above
aujourd'hui, to-day
auprès de, near
au revoir, goodbye
aussi, also ; as ; **aussi . . . que**, as . . . as
aussitôt, immediately
un **auteur**, author
un **autobus**, motor bus
un **autocar**, motor coach
un **automne**, autumn
une **automobile**, motor-car
une **autorité**, authority
autour de, around
autre, other ; different ; **nous autres Français**, we French ; **les autres**, other people
autrefois, formerly
une **avalanche**, avalanche
avaler, to swallow
en **avance**, in advance, early
*s'avancer, to come forward (Conjugate like ***commencer**)
avant, before (of time) ; **en avant** ! forward !
avec, with
une **aventure**, adventure
avertir, to warn
aveugle, blind
***avoir**, to have ; to ail ; **qu'avez-vous** ? what ails you ? what's the matter ?
ayez, imperative mood of ***avoir**

les **bagages** (*m.*), luggage ; **bagages à (la) main**, hand, light luggage
la **bagatelle**, trifle
le **bahut**, chest
se **baigner**, to bath ; to bathe ; **se baigner à l'eau chaude**, to have a hot bath
la **baignoire**, bath
le **bain**, bath
le **baiser**, kiss
baisser, to lower
le **bal**, ball, dance
balancé par, swaying to
balayer, to sweep
balbutier, to stammer
le **balcon**, balcony
la **balustrade**, bannister-rail, balustrade

le **bambou**, bamboo
la **banane**, banana
le **banc**, bench, seat, form
la **bande**, band, group
le **bandit**, bandit, robber
la **barbe**, beard
la **barrière**, barrier
bas (*f.* **basse**), low ; **bas, à part**, aside ; **en bas**, down
le **bassin**, (fountain) basin, ornamental lake
la **Bastille**, State prison in Paris, destroyed in 1789
le **bateau**, boat
le **bâtiment**, building
bâtir, to build
le **bâton**, stick
***battre**, to beat ; **battre des mains**, to clap
le **baudet**, Neddy (donkey)
bavarder, to chat, chatter, gossip
beau, bel (*f* **belle**), fine, handsome
beaucoup (**de**), much, very much ; many
le **beau-père**, father-in-law
le **bébé**, baby
le **benêt**, simpleton
le **béret**, beret, cap
le **berger**, shepherd, herd
le **besoin**, need ; **avoir besoin de**, to need
bête, stupid
la **bête**, animal
le **beurre**, butter
bien, well ; very ; of course ; very well ; **bien aimé**, beloved
le **bien**, good ; les **biens**, property
bientôt, soon ; **à bientôt**, see you again soon
bienvenu, welcome
la **bienvenue**, welcome ; **souhaiter la bienvenue à**, to welcome
le **bijou** (*pl.* **bijoux**), jewel
le **billet**, ticket ; **billet aller et retour**, return ticket ; **billet simple**, single ticket
bis, twice ; 10 **bis** (of a street number, bus number, etc.), 10 A
la **blague**, nonsense, rubbish
blanc (*f.* **blanche**), white
blessé, wounded
bleu, blue
le **bloc**, block
la **blouse**, blouse, smock
***boire**, to drink ; ***boire un coup**, to have a drink
le **bois**, wood
la **boisson**, drink
la **boîte**, box
boiter, to limp
boiteux, lame
bon (*f.* **bonne**), good ; **à quoi bon ?** what's the good ?
le **bonbon**, sweet
le **bond**, leap ; **d'un bond**, with a leap
bondé, crowded
le **bonheur**, happiness
le **bonhomme**, fellow
bonjour, good day ; good morning
la **bonne**, maid
le **bonnet** (**de nuit**), (night-) cap
la **bonté**, goodness, kindness
le **bord**, edge ; **au bord de la mer**, at the seaside
border, to line
la **bouche**, mouth
le **boucle**, buckle
la **boue**, mud
la **bougie**, candle
la **boule**, ball
le **bouleau**, birch
le **boulevard**, boulevard, broad street in Paris
le **bouquet**, bunch

le **bourgeois**, citizen ; middle-class man
la **bourse**, purse
bousculer, to hustle
le **bout**, end ; **au bout de**, at the end of, after
la **bouteille**, bottle
la **boutique**, little shop
le **bouton**, button ; bud ; le **bouton doré**, buttercup
la **branche**, branch
le **bras**, arm ; **entre les bras**, in one's arms ; **sur les bras**, on one's hands
le **brassard**, armlet
brave, brave ; worthy, decent, kindly
la **brillantine**, brilliantine (for the hair)
briller, to shine
la **brindille**, twig
la **brise**, breeze
briser, to break
broder, to embroider
brosser, to brush
le **brouillard**, fog, mist
le **bruit**, noise
brûler, to burn
brun, brown
brusquement, abruptly, sharply
le **buffet**, sideboard
le **bureau**, office ; **bureau de poste**, post office

ça (short for **cela**), that ; **c'est ça**, that's right
çà et là, here and there
le **cabinet**, study
se **cabrer**, to rear (of a horse)
(se) **cacher**, to hide
le **cadeau**, present, gift
Caen, town in Normandy
le **café**, coffee
la **cagnotte**, pool (in a card game, etc.)
le **cahier**, exercise book
caillé, curdled
la **caisse**, pay-desk
calculer, to calculate
se **calmer**, to calm oneself
le **camarade**, comrade, friend
le **camelot**, cheap-jack ; street hawker
le **camion**, motor lorry
la **camionnette**, light motor lorry
la **campagne**, country ; **à la campagne**, in the country
la **canaille**, rabble ; scoundrels
le **canard**, duck
la **canne**, stick ; **la canne à pêche**, fishing rod
le **canot**, boat ; **canot automobile**, motor boat
capable, capable
le **capitaine**, captain
la **capitale**, capital
le **caprice**, caprice
capricieux, capricious
car, for
caractéristique, characteristic
caresser, to pat, caress
le **carnet**, book (of tickets) ; note-book
le **carrosse**, carriage, coach
le **cartable**, school satchel
la **carte**, card ; **carte postale**, postcard
le **cas**, case ; **en tout cas**, in any case
la **cascade**, cascade, waterfall
la **casquette**, cap
la **cathédrale**, cathedral
la **cause**, cause
le **cavalier**, horseman
la **cave**, cellar
ceci, this
***céder**, to yield, give up (Conjugate like ***régler**)
ceint, wearing a belt
la **ceinture**, belt

le **ceinturon**, belt
cela, that
célèbre, famous
***célébrer**, to celebrate. (Conjugate like ***régler**)
celle (qui), she (who)
celui (qui), he (who) ; (of two) **celui-là**, the former, **celui-ci**, the latter
une **centaine**, (about) a hundred
le **cercle**, circle
la **cerise**, cherry
certain, certain
certes, certainly, to be sure
la **cesse**, cessation ; **sans cesse**, incessantly
cesser, to cease, stop
ceux-ci, *plural* of **celui-ci**
chacun, each (one)
la **chaise**, chair ; **chaise à porteurs**, sedan chair
le **châle**, shawl
le **chalet**, wooden cottage in the Alps
la **chambre (à coucher)**, bedroom
la **chance**, chance ; luck, good luck
le **changement**, change
***changer**, to change (Conjugate like ***manger**)
chanter, to sing ; **chanter à tue-tête**, to sing at the top of one's voice
le **chapeau**, hat
le **chapitre**, chapter
chaque, each
le **char**, cart
chargé de, loaded with
le **chariot**, cart ; truck
le **charlatan**, quack
la **charrette**, cart ; hand-cart, barrow
chasser, to chase, drive off
le **chat**, cat
la **châtaigne**, chestnut
le **château**, castle ; **château fort**, fortress
chaud, warm, hot ; **il fait chaud**, it is hot (weather); **avoir chaud**, to be hot
chaudement, warmly
le **chaudron**, cauldron
chauffer, to warm
la **chaussée**, roadway
la **chaussette**, sock
le **chemin**, road
le **chemin de fer**, railway
la **cheminée**, chimney-piece
la **chemise de nuit**, nightshirt
le **chêne**, oak
cher (*f.* **chère**), dear
chercher, to look for ; to get
le **chéri**, darling
le **cheval**, horse ; **à cheval**, on horseback
les **cheveux** (*m. pl.*), hair
chez, at, to, the house of ; **chez vous**, at your house
le **chien**, dog
le **choc**, shock, impact
le **chocolat**, chocolate
le **chœur**, chorus
choisir, to choose
la **chose**, thing
le **chou-fleur** (*pl.* **choux-fleurs**), cauliflower; **chou-fleur au gratin**, cauliflower with white sauce, browned in the oven
Chut ! Hush !
Cicéron, Cicero, Latin orator and author
le **cidre**, cider
le **ciel**, sky, heaven
le **cimetière**, cemetery
le **cinéma**, cinema
cinq, five
circuler, to circulate
la **cité**, city ; the oldest part of Paris
le **citoyen** (*f.* **citoyenne**), citizen

le **citron**, lemon
la **civilité**, civility, courtesy, attention
clair, clear, bright
le **clair de lune**, moonlight
clamer, to exclaim, cry out
la **claque**, slap
la **classe**, class ; class-room ; les **classes**, school (lessons)
le **client**, customer
la **cloche**, bell
le **clocher**, belfry tower
le **clou**, nail
clouté, nailed
le **cœur**, heart ; **de tout mon cœur**, with all my heart
le **coin**, corner
la **colère**, anger
collaborer, to collaborate
coller, to stick
la **colline**, hill
la **colonnade**, colonnade
combien (de), how much ; how many ; **combien de temps**, how long
la **comédie**, comedy
comique, funny
commander, to order (things)
comme, how ; as ; like
le **commencement**, beginning
***commencer**, to begin
comment, how ; what ! ; **comment donc !** by all means ; why, of course ! ; **comment est-il ?** what is he like ?
la **commission**, errand, message
commun, common
le **compagnon**, companion
comparer, to compare
le **compartiment**, compartment
le **compère**, friend, old friend
complètement, completely
le **compliment**, compliment ; **je vous en fais mes compliments**, I congratulate you
***comprendre**, to understand ; **c'est compris**, agreed (Conjugate like ***prendre**)
compter, to count, reckon ; to intend
le **concierge**, caretaker ; (of French house) hall-porter
la **Conciergerie**, prison in Paris
la **concorde**, harmony ; **Place de la Concorde**, famous open space in Paris
le **condamné**, the condemned man
le **conducteur**, driver (of a bus, etc.)
***conduire**, to conduct, guide; to drive (a car)
confesser, to confess
confirmer, to confirm
la **confiture**, jam
confortable, comfortable
la **connaissance**, acquaintance
***connaître**, to know, be acquainted with (a person)
la **conscience**, conscience ; **en conscience**, honestly
la **conséquence**, consequence ; importance
***considérer**, to consider (Conjugate like ***régler**)
constamment, constantly
***construire**, to build (Conjugate like ***conduire**)
consulter, to consult
consumer, to burn
content, glad, pleased
le **contentement**, satisfaction
continuer, to continue
contourner, to work round

contraire (à), opposed (to)
le **contraire**, opposite; **au contraire**, not at all, on the contrary
contre, against
convenable, fitting, correct
convenu, agreed
la **conversation**, conversation
le **coq**, cock
coquet (*f.* **coquette**), coquettish, anxious to please
le **coquin**, rogue
la **corde**, rope
cordialement, warmly
le **corps**, body
le **costume**, costume, dress
le **côté**, side ; **de côté**, on one side ; **à côté de**, beside ; **de chaque côté**, on each side
le **cou**, neck
se **coucher**, to go to bed; (of the sun) to set
couler, to flow
la **couleur**, colour
le **couloir**, passage, corridor (in a train, etc.)
le **coup**, blow; **coup sur coup**, blow after blow; **coup de tonnerre**, thunderclap; **coup de bras**, stroke (in swimming)
couper, to cut
le **coupon**, coupon; (part of) ticket
la **cour**, court; court-yard; (of a school) play-ground; square
le **courage**, courage
***courir**, to run
la **courroie**, strap
la **course**, race
court, short
le **coussin**, cushion
le **couteau**, knife
le **coutelier**, cutler
coûter, to cost
le **couvent**, convent
le **couvercle**, lid
couvert, covered
***couvrir**, to cover (Conjugate like ***ouvrir**)
***craindre**, to fear
le **craquement**, crack, crash
la **cravate**, tie
créer, to create
la **crème**, cream
le **crépuscule**, twilight
la **crevasse**, cleft, crevasse
le **cri**, shout, cry ; **pousser un cri**, to utter a cry
crier, to shout
le **crime**, crime
***croire**, believe; **je te crois!** you may well say so!
***cueillir**, to gather
la **cuillerée**, spoonful
le **cuir**, leather
la **cuisine**, kitchen
la **culbute**, fall, toss, somersault
curieusement, curiously
curieux, strange

d'ailleurs, besides
la **dame**, lady
dangereux, dangerous
dans, in
la **danse**, dance
danser, to dance
d'après, after; adapted from
darder, to dart
la **date**, date
davantage, more
se ***débattre**, to struggle ; to flounder; splash about (Conjugate like ***battre**)
déborder, to overflow
déboucher, to emerge; to open into (of a street)
debout, up, upright
déchirer, to tear

se **décider à** (**décider de**), to decide
découper, to cut up, carve
***décrire**, to describe (Conjugate like ***écrire**)
le **défaut**, fault (of character)
le **degré**, degree
déguiser, to disguise
dehors, out, outside ; **en dehors**, out
déjà, already
déjeuner, to (take) breakfast ; to lunch
le **déjeuner**, breakfast ; lunch (meal taken at noon in France)
délicieux, delicious
délivrer, to set free
demain, to-morrow
la **demande**, request
demander, to ask (for)
se **demander**, to wonder
déménager, to remove (from one's house) (Conjugate like ***manger**)
demeurer, to live, dwell ; to stay
demi, half ; **demi-tarif**, half-price; **demi-nu**, half-clad
le **démon**, demon
la **dent**, tooth
le **dentifrice**, tooth paste
le **départ**, departure
se **dépêcher**, to make haste
dépendre, to depend
la **dépense**, expense
déplier, to unfold
déployer, to unfold
depuis, since ; for
dernier (*f.* **dernière**), last
derrière, behind
dès, from ; **dès ce soir**, this very evening
désagréable, unpleasant
descendre, to go down, come down, get down ; to get out (of a train) ; to take down
la **descente**, coming down, descent
la **description**, description
le **désert**, desert
désespéré, desperate, hopeless
se **déshabiller**, to undress
désillusionné, disillusioned
désirer, to desire
désormais, in future, henceforth
le **despotisme**, despotism
le **dessein**, intention
le **dessert**, dessert
dessiner, to draw
en-**dessous**, under
dessus, on
en-**dessus**, above
la **destination**, destination
détacher, to detach, tear off
se **détacher**, to unfasten oneself ; to loosen ; to come off
déterminé, resolved
détestable, hateful
détester, to detest
***détruire**, to destroy (Conjugate like ***conduire**)
deux, two
devant, before, in front of
le **devant**, front
***devenir**, to become ; **qu'allons-nous devenir ?** what's to become of us ? (Conjugate like ***tenir**)
la **devise**, device, motto
***devoir**, to owe ; must
le **devoir**, duty ; home-work
le **diable**, devil ; **que diable !** hang it !
le **dialogue**, dialogue
dicter, to dictate
Dieu, God
la **différence**, difference
différent, different

*différer, to put off (Conjugate like *régler)
difficile, difficult, troublesome, hard to please
digne, worthy ; dignified
la dignité, dignity
la diligence, stage-coach
le dindon, turkey(-cock)
le dîner, dinner
*dire, to say
directement, straight, directly
la direction, direction
*diriger, to direct ; se diriger (vers), to go (towards) (Conjugate like *manger)
le discours, speech
*disparaître, to disappear (Conjugate like *connaître)
la dispute, dispute
la distance, distance
distinguer, to distinguish, make out
la division, division
la dizaine, about ten
le docteur, doctor
dodu, chubby
le doigt, finger
le domestique, servant
dominer, to command a view of
le dommage, damage, hurt ; quel dommage ! what a pity !
donc, just ; therefore ; then ; dis donc, do tell me
donner, to give
dont, of which ; whose
doré, gilded, golden
*dormir, to sleep
le dos, back
doucement, gently ; softly ; quietly
doué, gifted
le doute, doubt
douter (de), to doubt
doux (*f.* douce), sweet, gentle, nice
la douzaine, dozen
dramatique, dramatic
le drap, cloth
dresser, to set up ; (of an animal) to train
se dresser, to tower up, rise
le dressoir, dresser
la drogue, drug
droit, right, straight
drôle, funny ; quel drôle de bonhomme, what a funny fellow
le drôle, scamp
dû, *see* *devoir
dur, hard
durer, to last

une eau, water ; eau de vie, brandy
ébahi, amazed
écarter, to part, draw aside
un échafaud, scaffold
échapper (à), to escape ; l'échapper belle, to have a narrow escape
échouer, to fail (of a play)
éclairer, to light
un éclat, splinter ; burst (of noise) ; *rire aux éclats, to laugh heartily
éclater, to burst
une école, school
écouter, to listen to
écraser, to crush
s'écrier, to exclaim
(s)'*écrire, to write (to each other)
un écriteau, notice(-board)
une écritoire, ink-stand
un effet, effect ; en effet, indeed ; yes, indeed
un effort, effort ; il fait tous ses efforts, he is doing his best

effrayant, terrifying
un **effroi**, terror
égaré, distraught
eh bien, well
s'***élancer**, to rush forward (Conjugate like ***commencer**)
un **élève**, pupil
***élever**, to raise (Conjugate like ***lever**)
s'**éloigner**, to move away
Élysée, Elysian ; les **champs Élysées**, avenue in Paris
s'**embrasser**, to embrace, kiss, hug
émerveillé, amazed
***émettre**, to transmit; to broadcast (Conjugate like ***mettre**)
un **émigré**, emigrant
émigrer, to emigrate
une **éminence**, height, hill
***emmener**, to lead away, take away (Conjugate like ***lever**)
une **émotion**, emotion
empêcher, to prevent
un **empereur**, emperor
une **emplette**, purchase ; **faire les emplettes**, to do the shopping
emplir, to fill
employer, to use
empocher, to pocket
empoigner, to seize, grasp
emporter, to carry away
s'**empresser**, to hasten
ému, moved
en, some; of it; of them
enchanté, enchanted, delighted
s'**encorder**, to " rope up "
encore, yet, too ; **encore une fois**, once more ; **encore quelques minutes**, a few minutes more
***encourager**, to encourage (Conjugate like ***manger**)
s'***endormir**, to fall asleep ; **endormi**, asleep (Conjugate like ***dormir**)
un **endroit**, place, spot
énergiquement, energetically
un **enfant**, child
enfermer, to shut up
enfin, at last; finally
s'***enfuir**, to run away (Conjugate like ***fuir**)
un **ennemi**, enemy
s'**ennuyer**, to be bored
énorme, huge
enroué, hoarse
ensemble, together
ensoleillé, sunny
ensuite, next, afterwards
entasser, to heap up
entendre, to hear ; **entendre parler de**, to hear of
un **enthousiasme**, enthusiasm
s'**enthousiasmer**, to get enthusiastic
un **enthousiaste**, enthusiast
entièrement, entirely, completely
entraîné, in good form
entraîner, to drag along, hurry along
entre, between
une **entrée**, entrance
une **entreprise**, enterprise
entrer (dans), to **enter** ; **faire entrer**, to put in ; to bring in
un **entresol**, entresol (floor between the ground floor and the first floor in a French house)
***énumérer**, to enumerate (Conjugate like ***régler**)
une **envie**, envy ; desire, wish ; **avoir envie de**, to wish for ; to want

envier, to envy
***envoyer**, to send
s'**épaissir**, to grow deeper, darker
épatant, fine, " topping "
une **épaule**, shoulder
éperdument, wildly
un **éperon**, spur
une **éponge**, sponge
(s')***éponger**, to sponge (oneself) (Conjugate like ***manger**)
une **époque**, epoch, age, time
épouser (of a man) to marry
épouvantable, frightful, terrible, horrible
épris, in love with
un **équipement**, equipment
***ériger**, to erect (Conjugate like ***manger**)
un **escalier**, staircase
l'**Espagne** (*f*.), Spain
***espérer**, to hope (Conjugate like ***régler**)
essayer, to try
essoufflé, breathless
essuyer, to wipe
établir, to establish
un **étage**, story (of a house)
un **état**, state
un **été**, summer
***éteindre**, to extinguish (Conjugate like ***craindre**)
(s')**étendre**, to extend, stretch
étincelant, gleaming
***étinceler**, to gleam (Conjugate like ***appeler**)
une **étoile**, star
étonnant, surprising
étonné, surprised, in surprise
étrange, strange
étranger (*f*. **étrangère**), foreigner; stranger
***être**, to be
étudier, to study
un **événement**, event
s'**éventer**, to fan oneself
évidemment, evidently, obviously, of course
éviter, to avoid
exactement, exactly
un **examen**, examination
examiner, to examine
excellent, excellent
exclamer, to exclaim
une **excursion**, excursion
une **excuse**, excuse
excuser, to excuse
une **exécution**, execution
***exercer**, to exercise, use (Conjugate like ***commencer**)
expliquer, to explain; **s'expliquer**, to understand
un **exploit**, exploit, achievement, feat
exploiter, to exploit
s'**exposer**, to expose oneself
une **exposition**, exhibition
exprès, specially, on purpose
exprimer, to express
extraordinaire, extraordinary
extrêmement, extremely

la **façade**, front
la **face**, face ; **en face de**, opposite
facile, easy
facilement, easily
la **façon**, way, fashion
facultatif (*f*. **facultative**), optional ; **arrêt facultatif**, request stop (of a bus, etc.)
fade, insipid
le **fagot**, bundle of firewood
faible, weak
la **faiblesse**, weakness
la **faim**, hunger ; **avoir faim**,

to be hungry ; **avoir une faim de loup**, to be as hungry as a wolf
***faire**, to make, do ; to pretend to be ; to say ; **faire dire**, to send word ; **faire venir**, to fetch ; **ça fait mal**, it hurts, is painful ; **il fait chaud**, it is hot (weather) ; **il fait frais**, it is cool ; **il fait nuit**, it is dark ; **c'est bien fait pour lui !** serve him right !
se ***faire**, to be made
le **faiseur**, maker
***falloir**, must ; **il me faut**, I must
fameux, famous ; fine, splendid
la **famille**, family
faner, to make hay
le **faneur** (*f.* **faneuse**), haymaker
la **farce**, farce
fasciné, fascinated
la **fatigue**, fatigue
se **fatiguer**, to tire oneself
faucher, to mow
le **faucheur**, mower
***faut**, *see* ***falloir**
la **faute**, fault
le **fauteuil**, armchair
la **faux**, scythe
la **faveur**, favour ; **en faveur de**, in consideration of
la **femme**, woman ; wife
fendre, to cleave, rend
la **fenêtre**, window
la **ferme**, farm
fermer, to shut, close
féroce, fierce
ferré, nailed
la **ferveur**, fervour
le **feu**, fire
la **feuille**, leaf
le **février**, February
le **fiacre**, cab
fier (*f.* **fière**), proud
se **fier à**, to trust in
la **fièvre**, fever
la **figure**, face ; **en pleine figure**, right in the face
se **figurer**, to imagine
filer, to move swiftly, whisk away
la **fille**, daughter ; la **jeune fille**, girl
la **fillette**, little girl
le **fils**, son
fin, fine, delicate, dainty
la **fin**, end ; ***mettre fin à**, to end
finir, to finish
fixe, fixed
la **flamme**, flame
flâner, to stroll, lounge
la **flèche**, arrow
la **fleur**, flower
fleuri, full of blossom
le **flot**, wave, billow ; tide, flood-tide
la **foi**, faith ; **ma foi !** my word !
le **foin**, hay
la **foire**, fair
la **fois**, time ; **une fois**, once ; **encore une fois**, once more ; **à la fois**, at once
la **folie**, madness
follement, madly
le **fond**, bottom ; back ; **dans le fond**, at bottom
la **force**, force, strength ; **de force**, by force ; **de toutes leurs forces**, with all their might
la **forêt**, forest
la **forme**, form, shape
(se) **former**, to form
formidable, formidable
fort, strong ; good at
fort, very ; **bien fort**, hard

la fossette, small hole ; **jouer à la fossette**, to play at " chucks "
fou (*f.* **folle**), mad
le **fouet**, whip
le **foulard**, scarf
la **foule**, crowd
le **four**, oven
la **fourchette**, fork
fraîchement, freshly
frais (*f.* **fraîche**), cool; fresh ; **il fait frais**, it is cool (of the weather)
la **fraise**, strawberry; la **fraise des bois**, wild strawberry
franc (*f.* **franche**), frank
le **franc**, franc
français, French
franchement, frankly
frapper, to strike
fredonner, to hum
le **frein**, brake
le **frêne**, ash-tree
le **frère**, brother
froid, cold ; **il fait froid, it** is cold (weather)
le **fromage**, cheese
le **front**, brow, forehead
(se) **frotter**, to rub
le **fruit**, fruit
la **fuite**, flight
la **fumée**, smoke
fumer, to smoke
furieux, furious
(se) **fusiller**, to shoot **(one** another)

gagner, to gain ; to win ; to earn ; **gagner sa vie**, to earn one's living
gai, gay
le **gaillard**, chap, fellow
le **garçon**, boy, lad
garder, to keep, retain
la gare, railway station
le **gâteau**, cake ; **gâteau au chocolat**, chocolate cake
gauche, left ; awkward
le **gendarme**, policeman
généralement, generally
le **genou** (*pl.* **genoux**), knee
le **genre**, gender ; kind, sort
les **gens** (*m.* and *f.*), people ; **les jeunes gens** (as plural of **le jeune homme**), young men
gentil (*f.* **gentille**), nice, kind, good ; **gentil pour**, kind, nice to
le **gentilhomme**, gentleman, man of gentle birth
gentiment, nicely
le **geste**, gesture
le **Girondin**, deputy of a special party from the Gironde, in S.W. France
la **glace**, ice ; icing ; window (of a carriage, etc.)
glacé, frozen ; iced
le **glacier**, glacier
la **glaneuse**, gleaner
glisser, to slip, slide, glide
le **globe**, globe
le **glouglou**, gurgle, bubbling
glouton (*f.* **gloutonne**), greedy
le **goéland**, sea-gull
le **golf**, golf
gonfler, to swell
le **goût**, taste
goûter, to taste ; to have afternoon tea
le **goûter**, very light meal at 4 o'clock ; " tea "
la **goutte**, drop
le **gouvernail**, rudder
la **grâce**, grace, favour ; **de grâce**, please ; **rendre grâce à**, to thank
le **grain**, grain
la **grammaire**, grammar
grand, big, large, great,

tall; (of the eyes) wide open
la **grand'mère**, grandmother
le **grand-père**, grandfather
grave, earnest, serious
gravement, earnestly, seriously
la **gravure**, illustration
le **griffon**, griffin
la **grille**, iron entrance gate
grimaçant, grimacing, grinning
grimper, to climb
gros (*f.* **grosse**), big, bulky; fat
grossir, to swell
le **groupe**, group
guère (**ne** with the verb), scarcely, hardly
guérir, to cure
la **guerre**, war
le **guet**, watch, patrol
le **guichet**, ticket-window, booking office
le **guide**, guide
la **guillotine**, guillotine
guillotiner, to guillotine, execute

habile, clever
habillé, dressed
s'habiller, to dress
un **habit**, coat; dress
habiter, to live in
d'habitude, usually
une **habitude**, habit
la **hache**, hatchet, axe
***haïr**, to hate
une **haleine**, breath
la **halte**, halt; **faire halte**, to halt, stop
haranguer, to harangue, address
hausser (la voix), to raise (one's voice)
haut, high; aloud
le **haut**, top
une **hauteur**, height
hélas! alas!
une **herbe**, grass
un **héritier**, heir
une **héroïne**, heroine
héroïque, heroic
le **héros**, hero
hésiter, to hesitate
le **hêtre**, beech
une **heure**, hour; **tout à l'heure**, presently; **de bonne heure**, early
heureusement, fortunately
heureux, happy
heurter, to knock, bump
hier, yesterday
Hippocrate, Hippocrates, famous Greek physician
hisser, to hoist
une **histoire**, history; story
un **historien**, historian
historique, historic
un **homme**, man
honnête, honest; **un honnête homme**, gentleman
un **honneur**, honour
la **honte**, shame; **avoir honte**, to feel ashamed
la **horde**, host
une **horloge**, (large) clock
une **horreur**, horror
horrible, horrible
le **hors d'œuvre**, hors d'œuvre
un **hôtel**, hotel
houleux, billowy, rough
Hugo, Victor, famous French poet, novelist and dramatist of the nineteenth century
huit, eight
humide, damp
le **hurlement**, howl
hurler, to howl

ici, here
une **idée**, idea

il, he ; it
une **île**, island
illuminer, to light up, illuminate
s'imaginer, to imagine
immobile, motionless
impatienté, impatient
un **impertinent**, insolent fellow
implorer, to implore
une **impression**, impression
imprimer, to print
une **imprudence**, imprudence
impudent, impudent
impuissant, powerless
inattendu, unexpected
inconnu, unknown ; stranger
incroyable, incredible
une **indignation**, indignation
indigné, indignant
indiquer, to point out, name
infini, infinite
infiniment, immensely ; ever so much
une **influence**, influence
innocent, innocent
insensé, mad
***insérer**, to insert (Conjugate like ***régler**)
une **insolence**, insolence
insolent, insolent
s'inspirer, to be inspired, get ideas
installé, settled
s'installer, to settle
un **instant**, instant ; **à l'instant**, instantly
une **intention**, intention
intéressant, interesting
un **intérieur**, inside, interior
interrompre, to interrupt
inutile, useless
inutilement, in vain
inventer, to invent
une **invention**, invention
inviter, to invite
irai, *see* ***aller**
Isère, river of south-east France
l'Italie (*f.*), Italy
un **ivrogne**, drunkard

jamais, ever ; **ne . . . jamais**, never
la **jambe**, leg
le **jambon**, ham
le **janvier**, January
la **jaquette**, jacket
le **jardin**, garden
jaune, yellow
le **jet d'eau**, springing fountain
***jeter**, to throw
le **jeu**, game
jeudi, Thursday ; **à jeudi**, till Thursday
jeune, young
la **jeunesse**, youth
la **joie**, joy
joli, pretty ; nice
jouer (**à**), to play (at) (of games) ; **jouer** (**de**), to play (of musical instruments)
le **joueur**, player
le **jour**, day ; day-time ; **tous les jours**, every day ; **le jour de l'an**, New Year's Day
le **journal**, newspaper
la **journée**, day
le **juge**, judge
juger, to judge ; **à en juger par**, to judge by
le **juillet**, July
les **jumelles** (*f.*), opera glasses
jusqu'à, to, unto, until ; even to
juste, just, exactly
justement, exactly
la **justice**, justice

le **kilogramme**, kilogram ($2\frac{1}{4}$ lbs.)
le **kilomètre**, kilometre ($\frac{5}{8}$ mile)

la, her ; it
là, there ; **là-bas**, yonder, over there ; **là-dedans**, in there ; **là-dessus**, on that
le **laboratoire**, laboratory
laborieux, hardworking ; hard, toilsome
le **lac**, lake
le **lâche**, coward
laid, ugly
laisser, to leave ; to let ; **laissez-nous faire**, leave it to us
le **lait**, milk ; **lait caillé**, curds
la **lampe**, lamp
le **langage**, language, way of speech
la **langue**, tongue ; language
la **lanterne**, lantern ; street-lamp
large, wide
largement, widely, broadly
la **largeur**, width
le **latin**, Latin
laver, to wash
le, him ; it
la **leçon**, lesson
la **lecture**, reading ; **faire la lecture**, to read aloud
léger (*f.* **légère**), light ; (of tea) weak
le **légume**, vegetable
le **lendemain**, next day ; **le lendemain matin**, the next morning
lent, slow
lentement, slowly
les, them
la **lettre**, letter
la **levée**, clearing (of letters from the post-box)
le **lever**, rise
se ***lever**, to rise
libéral, liberal
la **liberté**, liberty
libre, free
la **ligne**, line
***lire**, to read
le **lit**, bed
le **litre**, litre ($1\frac{3}{4}$ pints)
la **livre**, pound
le **livre**, book
la **locomotive**, railway engine
la **loge**, box (in a theatre) ; porter's lodge
logé, housed
lointain, distant
le **lointain**, distance
long (*f.* **longue**), long
le **long de**, along
***longer**, to go, run alongside of (Conjugate like ***manger**)
longtemps, a long time ; **assez longtemps**, long enough
la **longueur**, length
lorsque, when
la **loterie**, lottery
louer, to praise ; to let (a house) ; **Dieu soit loué**, thank God
le **loup**, wolf
lourd, heavy
lui-même, himself
la **lumière**, light
la **lune**, moon
la **lutte**, struggle
le **lycée**, secondary school

le **machiniste**, bus-driver
le **magasin**, shop
magique, magical
magnifique, magnificent
le **mai**, May
le **maillot**, swimming-suit
la **main**, hand ; **à la main**, in his (her) hand
maint, many a

maintenant, now
mais, but ; **mais non**, indeed no ; rather not ; **mais oui**, yes ; to be sure
la **maison**, house ; **à la maison**, (at) home
le **maître**, master
majestueusement, majestically
majestueux, majestic
mal, bad ; badly
le **mal** (*pl.* **maux**), pain, hurt ; malady ; **ça fait mal**, it hurts, it's painful
malade, sick
le **malade**, patient
la **maladie**, sickness
le **malfaiteur**, malefactor
malgré, in spite of ; **malgré lui**, against his will, willy-nilly
malheureux, unfortunate, wretched
la **malle**, trunk
la **manche**, sleeve
la **Manche**, English Channel
***manger**, to eat
la **manière**, manner, way
manquer, to fail, be wanting; **il a manqué de se tuer**, he's nearly been killed
le **manteau**, cloak, coat, overcoat
le **marbre**, marble
le **marchand**, merchant ; **marchand des quatre saisons**, coster-monger, barrowman
les **marchandises** (*f. pl.*), wares
la **marche**, march ; step (of a staircase) ; walk ; movement
le **marché**, market; **bon marché**, cheap
marcher, to walk ; to march ; **faire marcher**, to get to go ; to work
la **mare**, pool, small pond ; **mare aux canards**, duck pond
la **margelle**, edge, border
la **marguerite**, daisy
le **mari**, husband
le **mariage**, marriage
se **marier avec**, to marry
le **marin**, sailor
la **marionnette**, puppet, marionette
marquer, to indicate
les **mathématiques** (*f. pl.*), mathematics
le **matin**, morning
matinal, early in the morning
les **matines**, matins (in the church)
maudit, accursed
mauvais, bad
mécontent, displeased
le **médecin**, doctor
la **médecine**, medicine
médicamenter, to doctor ; to dose
meilleur, better ; **le meilleur**, best
se **mêler de**, to meddle in
le **mélèze**, larch
le **membre**, member
même, same ; even ; **tout de même**, all the same, after all
la **menace**, threat
***menacer**, to threaten (Conjugate like ***commencer**)
le **mendiant**, beggar
***mener**, to lead, take, bring (Conjugate like ***lever**)
***mentir**, to lie (Conjugate like ***sortir**)
le **menton**, chin
la **mer**, sea
merci, thank you, thanks ; no, thanks
la **merci**, mercy

la **mère**, mother
la **merveille**, wonder, marvel
merveilleux, wonderful
à mesure que, as
la **méthode**, method, way
le **mètre**, metre (39.37 ins.)
***mettre**, to put; to put on
se ***mettre à**, to begin to; **se mettre à table**, to sit down to a meal; **se mettre en tête**, to take into one's head
le **meuble**, piece of furniture
le **meurtre**, murder
le **midi**, twelve o'clock, noon
la **mie**, darling
le **miel**, honey
la **miette**, crumb
mieux, better; **tant mieux**, so much the better; **de mon mieux**, my best
le **mignon** (*f.* **mignonne**), darling
le **milieu**, middle; **au milieu de**, among; in the middle of
mille, thousand
mince, thin, slender
le **minuit**, midnight
minuscule, tiny
la **minute**, minute
le **miracle**, miracle
le **miroir**, mirror
la **mise**, dress
misérable, wretched; **le misérable**, wretch
la **misère**, poverty
le **modèle**, model
modestement, modestly
le **moineau**, sparrow
moins, less; **le moins**, least; **moins de**, less than
le **mois**, month
la **moitié**, half; "better half"
le **moment**, moment; **au moment où**, just when; at the time when

le **monde**, world; **tout le monde**, everybody; **beaucoup de monde**, many people
Monsieur, Sir; Mr.
le **monsieur** (*pl.* **messieurs**), gentleman
le **monstre**, monster
la **montagne**, mountain; **à la montagne**, in the mountains; **en pleine montagne**, right up in the mountains
le **montant**, amount, total
monter, to go up; to take up; **monter (dans)**, to get (into); **monter à cheval**, to ride on horseback
la **montre**, watch
montrer, to show
le **monument**, place of historic interest
se **moquer (de)**, to laugh at, tease; to make fun of
le **morceau**, bit, piece
mort, *see* ***mourir**
la **mort**, death
le **mot**, word; **je ne dis plus mot**, I won't say another word
le **mouchoir**, handkerchief
mouillé, damp, wet, very wet
***mourir**, to die
la **mousse**, moss
le **mouton**, sheep
le **mouvement**, movement
le **moyen**, means
muet (*f.* **muette**), dumb; silent
le **muguet**, lily of the valley
le **mulet**, mule
multiplier, to multiply
le **mur**, wall
mûr, ripe
la **muraille**, wall

la **mûre**, mulberry
le **murmure**, murmur
murmurer, to murmur
musclé, muscular
la **musique**, music

la **nage**, swimming ; **passer, traverser à la nage**, to swim across
***nager**, to swim (Conjugate like ***manger**)
le **nageur**, swimmer
la **natation**, swimming ; **une école de natation**, swimming-baths
la **nation**, nation
naturel (*f.* **naturelle**), natural
naturellement, naturally ; of course
le **néant**, annihilation, destruction
nécessaire, necessary
la **neige**, snow
le **nerf**, nerve
nerveux, nervous
nettement, clearly
neuf, nine
neuf (*f.* **neuve**), new, new-made
le **neveu**, nephew
le **nez**, nose
le **nid**, nest
le **nigaud**, silly boy, goose
la **noblesse**, nobility
le **Noël**, Christmas
noir, black
le **nom**, name ; **de nom**, by name
nombreux, numerous
nommer, to name
se **nommer**, to be called
non, no ; **non pas**, not
nos, our
notre, our
le **nôtre**, la **nôtre**, ours
noué, knotted
nourrir, to feed
nouveau, nouvel (*f.* **nouvelle**), new ; **de nouveau**, again
la **nouvelle**, news
noyé, drowned ; **le noyé**, drowning person
nu, bare
le **nuage**, cloud
la **nuée**, cloud
la **nuit**, night ; **la nuit blanche**, sleepless night ; **il fait nuit**, it goes dark
le **numéro**, number

obéir à, to obey
un **objet**, object
***obliger**, to oblige, compel (Conjugate like ***manger**)
une **occasion**, opportunity
s'**occuper de**, to look after, busy oneself with
un **octobre**, October
l'**Odéon** (*m.*), Odeon theatre in Paris
un **œil** (*pl.* **yeux**), eye ; **ouvrir de grands yeux**, to open one's eyes wide
un **œuf**, egg
une **œuvre**, work (of an author)
***offrir**, to offer (Conjugate like ***ouvrir**)
une **oie**, goose
un **oiseau**, bird
une **olive**, olive
ombrageux, skittish
une **ombre**, shadow
on (**l'on**), one ; they
un **oncle**, uncle
un **onguent**, ointment
une **opération**, operation
***opérer**, to operate (Conjugate like ***régler**)
une **opinion**, opinion ; **changer d'opinion**, to change one's mind
opposer, to oppose

une **orange**, orange
un **orateur**, orator
un **orchestre**, orchestra
ordinaire, usual ; **à l'ordinaire**, as usual
une **ordonnance**, prescription
une **oreille**, ear
un **oreiller**, pillow
organiser, to organize, get up
une **orgue**, organ
un **orgueil**, pride
une **origine**, origin
un **orphelin**, orphan
oser, to dare, venture
ôter, to take off, remove
ou, or ; **ou bien**, or else
où, where ; **un jour où**, one day when
oublier, to forget
oui, yes
un **ouvrage**, work (knitting, etc.)
une **ouvreuse**, box opener, theatre attendant
un **ouvrier**, workman
***ouvrir**, to open ; **ouvrir sur**, to give access to

la **page**, page
la **paille**, straw
le **pain**, bread
la **paire**, pair
paisible, peaceful
la **paix**, peace
le **palais**, palace
pâle, pale
le **palier**, landing (on stairs)
Pan ! Pan ! Rat-tat !
le **panama**, panama hat
le **panier**, basket
le **papier**, paper
les **Pâques** (*f.*), Easter
le **paquet**, parcel
par, by, (of the weather) in ; **par ici**, this way
le **paragraphe**, paragraph
***paraître**, to appear (Conjugate like ***connaître**)
le **parapluie**, umbrella
le **parc**, park
parce que, because
par-dessous, underneath
le **pardon**, pardon
pardonner, to forgive
le **pare-boue**, mudguard
pareil (*f.* **pareille**), like, similar
le **parent**, parent ; relative
la **parenthèse**, bracket
le **parfum**, perfume
parler, to speak ; **parler haut**, to speak loud
la **parole**, word ; speech
à **part**, aside
la **part**, share ; **quelque part**, somewhere
le **parterre**, pit (in a theatre) ; flowerbed
le **parti**, party ; decision
la **partie**, part ; game
***partir**, to set off
le **parvis**, square (in front of a church)
pas (**ne** with the verb), not
le **pas**, pace ; step ; stride
le **passage**, passage, crossing ; **passage clouté**, Belisha crossing
le **passant**, passer-by
passer, to pass ; to put ; to put through (as a door), to spend (time) ; **passer à la nage**, to swim across
se **passer**, to take place ; to come off
la **passion**, passion, love
la **pastille**, pastille, sweet ; **pastille à la menthe**, peppermint drop
le **pâté**, meat-pie
paternel, fatherly
la **patience**, patience
le **patient**, patient

la pâtisserie, cake-shop; tea-room
la patrie, native land, " mother country "
le pâturage, pasturage
pauvre, poor ; **mon pauvre Jacques**, James dear
le **pavé**, roadway
payer, to pay
le **pays**, country
le **paysan** (*f.* **paysanne**), peasant
la **pêche**, peach
la **pêche**, fishing
la **peine**, trouble; pain
pencher, to lean ; **se pencher au dehors**, to lean out ; **penché**, leaning
pendant, during; **pendant que**, while
pendre, to hang
***pénétrer**, to penetrate (Conjugate like ***régler**)
penser, to think
pensif (*f.* **pensive**), pensive, thoughtful
la **pente**, slope
la **perche**, pole, rod
se **percher**, to perch
perdre, to lose
le **père**, father ; **père de famille**, father of a family
***permettre à**, to allow (Conjugate like ***mettre**)
perpétuel, continual
le **perroquet**, parrot
la **perruque**, wig
persister, to persist
le **personnage**, personage, character
la **personne**, person ; **les grandes personnes**, the grown-ups
la **peste**, pest, nuisance; **Peste du fou !** Bother this silly fool !
petit, small, little ; **mon petit, ma petite**, dear (child)
peu, little ; **à peu près**, about that, more or less
peu à peu, by degrees
le **peuple**, people
la **peur**, fear ; **avoir peur, to** be afraid
peut-être, perhaps
***peux**, *see* ***pouvoir**
la **pharmacie**, chemist's shop
le **pharmacien**, dispensing chemist
la **photo(graphie)**, photo
la **phrase**, sentence ; **faire des phrases**, talk in flowery language
le **piano**, piano ; music practice
le **pic**, peak
la **pièce**, room; coin; play (in a theatre); apiece ; **50 ct. pièce**, 50 ct. each, apiece ; **pièce à pièce**, bit by bit; **pièce à marionnettes**, puppet play
le **pied**, foot ; **à pied**, on foot
la **pierre**, stone
le **pigeon**, pigeon
piller, to plunder, rob, loot
le **piolet**, ice-axe
la **pipe**, pipe
piquer, to prick ; to spur (a horse)
pire, worse ; **le pire**, worst
pis, worse ; **le pis**, worst
la **piscine**, swimming-bath
le **pistolet**, pistol
pittoresque, picturesque
le **placard**, cupboard
la **place**, place, seat ; town square
***placer**, to place (Conjugate like ***commencer**)
la **plaine**, plain
***plaire (à)**, to please ; **s'il vous plaît**, please

plaisanter, to joke
le **plaisir**, pleasure
la **planche**, plank; **faire la planche**, to float
le **plancher**, floor
planter, to plant
le **plat**, dish (of meat vegetables, etc.)
la **plateforme**, platform
plein, full
pleurer, to weep, cry
***pleut**, *see* ***pleuvoir**
***pleuvoir**, to rain
le **plomb**, lead
***plonger**, to plunge, dive (Conjugate like ***manger**)
la **pluie**, rain
la **plume**, pen
plus, more
plusieurs, several
plutôt, rather
la **poche**, pocket
la **pochette**, small handbag
le **poème**, poem
point (**ne** with the verb), not, not at all; **point du tout**, not at all
le **point**, point, dot, full stop (punctuation)
pointu, pointed
la **poire**, pear
le **poison**, poison
le **poisson**, fish
la **poitrine**, chest, breast
poliment, politely
la **pomme**, apple
le **pommier**, apple-tree
le **pont**, bridge; le **Pont-Neuf**, one of the oldest bridges in Paris
le **porcelet**, "piglet"
le **portail**, portal, church-door
la **porte**, door
porter, to carry; to wear
se **porter**, to be (of health)
le **porteur**, porter
la **portière**, door (of a railway carriage)
le **portrait**, portrait
poser, to place; to put down; **se poser**, to perch
la **position**, position
possible, possible
le **poste**, position; **poste de T.S.F.** (**poste de Télégraphie Sans Fil**), wireless set
le **postillon**, postilion
le **pot**, pot, jug
potelé, chubby
la **potion**, potion
la **poudre**, dust; powder; **poudre aux yeux**, "bluff"
la **poule**, hen
le **poulet**, chicken
le **pouls**, pulse
pour, for; to; in order to
le **pourboire**, tip
pourquoi, why; **pourquoi faire?** what for?
pousser, to push; **pousser un cri**, to utter a cry
***pouvoir**, to be able; can
le **pouvoir**, power
la **prairie**, meadow
pratique, practical
le **pré**, meadow
la **précaution**, precaution, care
précieux, precious
le **précipice**, precipice
précipiter, to hurl
se **précipiter**, to dash forward
préféré, favourite
***préférer**, to prefer; **ami préféré**, favourite friend (Conjugate like ***régler**)
premier (*f.* **première**), first
***prendre**, to take; to acquire; to assume
préparer, to prepare; **se préparer**, to get ready

près de, near ; beside ; **tout près**, at hand ; **de près**, close to
présenter, to present, offer
se **présenter**, to appear
presque, almost
la **presse**, press
pressé, in a hurry
presser, to crowd ; to hurry
prêt, ready
prêter, to lend
la **preuve**, proof ; **faire preuve de**, to show
prier, to pray ; beg, ask
la **princesse**, princess
principal (*pl.* **principaux**), principal
***pris**, *see* ***prendre**
la **prise**, capture
la **prison**, prison
le **prix**, price
probablement, probably
prochain, next
la **proclamation**, proclamation
procurer, to procure
le **professeur**, teacher (in a secondary school) ; professor
profiter, to profit ; **profiter de**, to take advantage of
profond, deep
profondément, deeply ; soundly
la **profondeur**, depth
le **programme**, programme
le **progrès**, progress
la **proie**, prey
le **projet**, plan
la **promenade**, walk ; **faire une promenade**, to go for a walk
se ***promener**, to go for a walk (Conjugate like ***lever**)
***promettre**, to promise (Conjugate like ***mettre**)
le **pronom**, pronoun ; **pronom fort**, stressed pronoun ; **pronom faible**, unstressed pronoun
***prononcer**, to pronounce, utter ; **prononcer une parole**, to utter a word (Conjugate like ***commencer**)
à propos, by the way ; now that I think of it
le **propriétaire**, owner
***proscrire**, to proscribe
la **protection**, protection
la **proue**, prow
la **province**, province
la **prudence**, prudence, care
la **prune**, plum
public (*f.* **publique**), public
puis, then
puisque, since
la **puissance**, power, might
puissant, powerful, mighty
punir, to punish
le **pupitre**, desk

le **quai**, platform (of a railway station)
la **qualité**, quality, virtue
quand, when
la **quantité**, quantity
quatre, four ; **quatre à quatre**, four at a time
que, that ; whom ; what ?
quel (*f.* **quelle**), what (a)
quelque, some ; **quelques**, a few
quelque chose, something
quelquefois, sometimes
quelqu'un, someone
qu'est-ce que ? qu'est-ce qui ? what ?
la **question**, question ; **poser une question**, to ask a question
qui, who ; which
la **quinzaine**, fortnight
quitter, to leave

quoi, what ; **il n'y a pas de quoi**, don't mention it ; not at all

(se) raconter, to tell (each other) ; to tell a story
rafraîchissant, refreshing
raide, steep ; stiff
le **raisin**, grape
la **raison**, reason ; **avoir raison**, to be right
ralentir, to go slower, slacken speed
***ramener**, to bring back (Conjugate like ***lever**)
la **rampe**, rail ; footlights (of a stage)
le **rang**, row
la **rangée**, row
rapide, swift
le **rapide**, express train
la **rapidité**, rapidity, speed
***rappeler**, to remind of (Conjugate like ***appeler**)
se ***rappeler**, to remember
rapporter, to bring back
se **rapprocher de**, to approach
la **raquette**, racket
le **râteau**, rake
le **rayon**, ray
le **receveur**, collector, conductor (in a public conveyance)
***recevoir**, to receive (Conjugate like ***devoir**)
rechercher, to seek ; **recherché**, sought after
le **récit**, story, tale
recommander, to recommend
***recommencer**, to begin again (Conjugate like ***commencer**)
***reconnaître**, to recognize (Conjugate like ***connaître**)
recouvrer, to recover
récréer, to re-create, refresh
***redevenir**, to become again (Conjugate like ***tenir**)
***réduire**, to reduce (Conjugate like ***conduire**)
se **refermer**, to close
le **refuge**, refuge, shelter
refuser, to refuse ; **il n'a rien à te refuser**, he can refuse you nothing
regarder, to look at
la **région**, region
***régler**, to regulate, arrange
la **reine**, queen
***rejoindre**, to join, rejoin (Conjugate like ***craindre**)
se ***relever**, to rise (Conjugate like ***lever**)
remarquer, to observe
le **remède**, remedy
remercier, to thank
le **remercîment**, thanks
***remettre**, to put back, give back, restore (Conjugate like ***mettre**)
la **remise**, delivery
remonter, to get up, in, again ; to go up (a river)
***remplacer**, to replace (Conjugate like ***commencer**)
remplir, to fill
remuer, to stir
la **rencontre**, meeting
rencontrer, to meet
le **rendez-vous**, (arranged) meeting ; place of meeting
rendre, to render ; to give back ; (followed by an adjective) to make
se **rendre**, to go, betake oneself
renfermer, to shut in, shut up, contain

la **rentrée**, return ; (of schools) reopening ; going in
rentrer, to return, come home ; to bring in
(se) **renverser**, to overthrow, upset, fall over
reparler de, to speak of again, return to
***repartir**, to start off again (Conjugate like ***partir**)
le **repas**, meal
répondre, to reply
se **reposer**, to rest
***reprendre**, to take up (again) ; to begin again, resume (Conjugate like ***prendre**)
la **représentation**, performance (of a play)
représenter, to represent
la **résidence**, residence
résistant, tough, stout
la **résolution**, resolution
le **respect**, respect
la **responsabilité**, responsibility
responsable, responsible
ressembler à, to resemble, be like
le **ressentiment**, resentment
rester, to remain
le **résultat**, result
rétablir, to set up again
le **retard**, lateness, delay ; **avoir du retard**, to be late ; **être en retard**, to be late
***retenir**, to hold ; to retain (Conjugate like ***tenir**)
(se) **retirer**, to withdraw, draw in, draw back
le **retour**, return
(se) **retourner**, to turn round ; to turn over
se **rétracter**, to withdraw, retract

retrouver, to find, get ; to meet again
se **retrouver**, to meet
réunir, to assemble, gather
réussir, to succeed
se **réveiller**, to awake
***révéler**, to reveal (Conjugate like ***régler**)
***revenir**, to return (Conjugate like ***tenir**)
rêver, to dream
la **révision**, revision
***revoir**, to see again (Conjugate like ***voir**)
la **révolution**, revolution
la **revue**, review
le **rez de chaussée**, ground floor
le **rhum**, rum
richement, richly
le **rideau**, curtain
rien, nothing ; **rien que**, only
***rire**, to laugh ; **rire aux éclats**, to burst out laughing ; **rire de tout son cœur**, to laugh heartily
le **risque**, risk
risquer, to risk
la **rivière**, river
la **robe**, dress ; robe ; **robe de bal**, ball dress
le **roi**, king
le **Romain**, Roman
le **roman**, novel
rond, round
la **ronde**, round dance
ronfler, to snore
rose, pink
la **rose**, rose
la **rosée**, dew
le **rosier**, rose-tree
le **rossignol**, nightingale
rôti, roast
rouge, red
le **roulement**, roll

rouler, to roll
Rousseau, eighteenth century French philosopher
la route, road ; en route ! forward, march !
roux (*f.* rousse), red
le royaume, kingdom
la ruche, beehive
le rucksac, rucksack
la rue, street
se ruer sur, to rush at
le ruisseau, stream
rusé, cunning, artful

le sabre, sabre
le sac, bag ; sac à vin, "wine-bag," drunkard ; sac de voyage, travelling-bag ; sac à ouvrage, work-bag
sage, wise ; (of a child) good
saint, holy
le saint, saint
saisir, to seize, grasp
la saison, season ; marchand des quatre saisons, costermonger
la salle, room ; salle de bains, bathroom ; salle à manger, dining-room ; salle d'attente, waiting-room
le salon, drawing-room
saluer, to bow ; to salute
le salut, greeting ; Salut ! Hail ! How do you do ?
le sandwich, sandwich
le sangfroid, coolness
le sanglot, sob ; éclater en sanglots, to burst out sobbing
sans, without ; but for
le sapin, pine-tree
la sardine, sardine
le satin, satin
satisfait, satisfied
sauter, to jump
sautiller, to hop, skip
sauvage, wild
sauver, to save
se sauver, to run away
le sauveur, saviour
la saveur, flavour
*savoir, to know (a fact) ; to know how, be able
le savon, soap
le scélérat, rascal, scoundrel
la scène, scene ; stage
le sceptre, sceptre
la science, science
scolaire, school ; l'année scolaire, school year
sculpter, to carve
sec (*f.* sèche), dry
*sécher, to dry (Conjugate like *régler)
la seconde, second
le secours, help ; Au secours ! Help !
le secret, secret
le seigneur, lord, noble
la Seine, Seine, river of France on which Paris and Rouen are situated
le séjour, stay
le sel, salt
selon, according to
la semaine, week
le semblant, appearance ; faire semblant, to pretend
le sentier, path
*sentir, to feel ; to smell ; *sentir bon, to smell good (Conjugate like *partir)
se *sentir, to feel
séparer, to separate
le sérac, serac (of a glacier)
la série, series
sérieusement, seriously
sérieux, serious
serpenter, to wind
serrer, to press ; serrer la main à, to shake hands with

le **service**, service
la **serviette**, serviette ; towel
*__servir__, to serve ; **à quoi sert-elle ?** what's the good of it ? (Conjugate like *__partir__)
se *__servir__, to help oneself
serviteur (*f.* **servante**), servant
le **set**, set (at tennis)
le **seuil**, threshold
seul, alone ; only
seulement, only
sévère, severe, strict
si, if
si, so ; (after a negative) yes
le **siècle**, century
le **siège**, seat
siffler, to hiss
le **signal** (*pl.* **signaux**), signal
le **signe**, sign
la **silhouette**, outline
simple, simple
simplement, simply
les **simples** (*m.*), simples, herbs
sincèrement, sincerely
situé, situated
la **société**, society
la **sœur**, sister
soient (subjunctive present of **être**), may be ; **que maudits soient l'heure et le jour**, cursed be the day and hour
la **soif**, thirst ; **avoir soif**, to be thirsty
le **soin**, care
le **soir**, evening ; night
*__sois__ (imperative of *__être__), be
le **soldat**, soldier
le **soleil**, sun
solide, solid, strong
solitaire, lonely
sombre, dark
le **sommet**, top (of a mountain)
son, his, her, its
*__songer__, to think (Conjugate like *__manger__)
sonner, to ring
la **sonnerie**, ringing, bell
la **sonnette**, bell
la **sorte**, sort, kind
la **sortie**, way out, exit ; coming out (of school)
*__sortir (de)__, to go out of, leave (Conjugate like *__partir__)
sot (*f.* **sotte**), foolish
le **sot**, fool
le **sou**, halfpenny
la **souche**, log ; block, counterfoil
le **soufflet**, box on the ears
*__souffrir__, to suffer, endure (Conjugate like *__ouvrir__)
souhaiter, to wish
souiller, to soil, dirty
*__soulever__, to lift, raise (Conjugate like *__lever__)
le **soulier**, shoe, boot
se **soumettre**, to submit (Conjugate like *__mettre__)
la **soupape**, valve ; plug (of a bath)
la **soupe**, soup
le **soupir**, sigh ; **pousser un soupir**, to sigh
soupirer, to sigh
sourd, deaf ; **sourd-muet**, deaf mute
*__sourire__, to smile (Conjugate like *__rire__)
sous, under
*__soutenir__, to hold up (Conjugate like *__tenir__)
le **souvenir**, souvenir, memento ; memory
se *__souvenir de__, to remember (Conjugate like *__tenir__)
souvent, often

le **souverain**, sovereign
le **spectateur**, spectator ; **les spectateurs**, audience in a theatre
spirituel, (*f.* **spirituelle**) witty
la **splendeur**, splendour
sportif (*f.* **sportive**), fond of sport
la **station**, (small) railway station
stationner, (of a vehicle) to stand
la **statue**, statue
le **stratagème**, stratagem, scheme
subit, sudden
sublime, sublime
le **substantif**, noun
le **succès**, success
le **sucre**, sugar
sucré, sweet ; sweetened
***suffire**, to be sufficient
la **suite**, continuation
suivant, following
***suivre**, to follow ; **suivi de**, followed by
se ***suivre**, to be in succession, in series
le **sujet**, subject
superbe, splendid, magnificent
supposé, supposed, alleged, assumed
supposer, to suppose
suprême, supreme
sur, on
sûr, sure ; **bien sûr**, of course
la **surface**, surface
***surprendre**, to surprise (Conjugate like ***prendre**)
la **surprise**, surprise
surtout, especially
***survenir**, to come along (Conjugate like ***tenir**)
suspendre, to hang up
la **sympathie**, sympathy

la **T.S.F.** (**télégraphie sans fil**), wireless
Tabarin, comic actor of the early seventeenth century
la **table**, table
tâcher, to try
le **tact**, tact
la **taille**, figure, waist
tailler, to cut
le **tailleur**, tailor
se ***taire**, to be silent
le **talent**, talent
le **tambour**, drum
tandis que, whilst
tant, so much, so many ; **tant que**, so long as
la **tante**, aunt
tantôt, recently, just now
tapisser, to cover
tard, late ; **plus tard**, later; **il se fait tard**, it's getting late
le **tarif**, tariff
la **tarte**, tart
la **tartine** (**de beurre**), slice of bread and butter
la **tasse**, cup
tâter, to feel
le **taxi**, taxi
tel (*f.* **telle**), such ; like
téléphoner, to telephone
tellement, so, so much
la **tempe**, temple, brow
le **temps**, time ; weather ; tense ; **à temps**, in time ; **en même temps**, at the same time ; **il fait beau temps**, it is fine weather
tendre, to hold out, stretch out
***tenir**, to hold ; to take hold of ; **tenir bon**, to hold on
se ***tenir** (**debout**), to stand

le **tennis**, tennis, tennis-court
le **terrain**, ground ; **gagner du terrain**, to forge ahead
la **terre**, earth, ground ; **mettre à terre**, to put down ; **jeter par terre**, to throw down
la **terreur**, terror
terroriser, to terrorize
la **tête**, head
le **thé**, tea
le **théâtre**, theatre ; stage ; scene
le **tien** (*f.* la **tienne**), yours
Tiens ! (imperative of ***tenir**), Here! Here you are! Well, I never!
***tient**, *see* ***tenir**
le **tilleul**, lime-tree
le **timbre**, stamp
timide, shy
tirer, to pull, draw; to pull out
le **tiret**, hyphen
le **titre**, title
le **tocsin**, alarm-bell
le **toit**, roof
le **tombeau**, tomb
tomber, to fall
le **tonnerre**, thunder ; le **coup de tonnerre**, thunder clap
tordu, twisted
le **torrent**, torrent
le **tort**, wrong ; **avoir tort**, to be wrong
tôt, early ; soon ; **plus tôt**, earlier
toucher, to touch ; **touche là**, shake hands
toujours, always ; still
la **tour**, tower
le **tour**, turn ; trick ; **à tour de rôle**, one after the other, in turn ; **faire le tour de**, to go round ; **à mon tour**, my turn
le **touriste**, tourist
se **tourner** (**vers**), to turn (towards)
le **tout**, all ; **point du tout**, not at all
tout (*f.* **toute** ; *pl. m.* **tous**, *pl. f.* **toutes**), all, every
tout à coup, suddenly
tout à fait, completely
tout à l'heure, presently
tout ce qui, **tout ce que**, all, all that
tout de suite, immediately
le **toutou**, bow-wow (dog)
trahir, to betray
le **train**, train ; **en train de**, in process of
traîner, to drag
***traire**, to milk
le **trait**, feature, characteristic
le **traître**, traitor
le **trajet**, distance traversed, journey ; route
le **tramway**, tramcar
la **tranche**, slice
tranquille, calm, quiet
transporter, to transport
le **travail**, work ; les **travaux pratiques**, practical lesson
travailler, to work
à **travers**, through
la **traversée**, crossing
traverser, to cross
trembler, to tremble
tremper, to soak
le **tremplin**, spring-board, diving-board
la **trentaine**, about thirty
très, very
***tressaillir**, to start ; to quiver
tricher, to cheat
le **tricorne**, three-cornered hat

tricoter, to knit
le **triomphe**, triumph
triompher, to triumph
triste, sad, dull
trois, three
se **tromper**, to be mistaken
le **tronc**, (tree) trunk
trop (**de**), too (much)
le **trottoir**, sidewalk
se **troubler**, to become embarrassed
la **troupe**, company
le **troupeau**, flock, herd
trouver, to find; to consider; to invent; **trouver bon**, to think right, fitting; **comment la trouvez-vous?** What do you think of her?
tuer, to kill; **se faire tuer**, to be killed
le **tumulte**, tumult
Turlupin, buffoon's name in seventeenth century farcical comedy
le **type**, type
le **tyran**, tyrant

un (*f.* **une**), a, one; **l'un l'autre**, one another; **les uns . . . les autres**, some . . . some
unique, only
universel (*f.* **universelle**), universal

***va** (*see* ***aller**), well, well!; **va toujours**, go on
les **vacances** (*f.*), holidays; **les grandes vacances**, long (summer) holidays
le **vacarme**, noise, turmoil
la **vache**, cow
la **vague**, wave
vaillant, brave, valiant
en **vain**, in vain
le **vaisseau**, vessel, ship; **vaisseau à voiles**, sailing ship
le **val**, valley; **Val d'Isère**, village in the French Alps
la **valise**, valise, bag
la **vallée**, valley
la **vanité**, vanity
la **veille**, the night before, eve
veiller, to watch; **veiller à**, to see to it
la **veine**, vein
le **velours**, velvet
le **vendeur**, vendor
vendre, to sell
se ***venger**, to avenge oneself (Conjugate like ***manger**)
***venir**, to come; **venir de**, to have just; **faire venir**, to fetch (Conjugate like ***tenir**)
le **verre**, glass; **verre à vin**, wine-glass
le **verrou**, bolt
vers, towards
verser, to pour out; to upset
vert, green
la **vertu**, virtue
le **vestiaire**, cloakroom
le **vestibule**, hall, vestibule
les **vêtements** (*m.*), clothes
vêtu de, dressed in
le **veuf**, widower
la **veuve**, widow
***veux**, *see* ***vouloir**
la **viande**, meat
la **victime**, victim
vide, empty
se **vider**, to empty
la **vie**, life
le **vieillard**, old man
la **vieille**, old woman
vieux, **vieil** (*f.* **vieille**), old; **mon vieux**, old chap
vif (*f.* **vive**), lively, quick, bright, alert

vigoureux, vigorous
vilain, ugly
le **village**, village
le **villageois**, villager
la **ville**, town ; **ville de campagne**, country town
le **vin**, wine
le **vinaigre**, vinegar
vingt, twenty
vingt-cinq, twenty-five
vingtième, twentieth
la **violence**, violence
violent, violent
la **violette**, violet
visible, visible, to be seen
la **visite**, visit ; **faire visite à, faire la visite de, rendre visite à**, to visit
visiter, to visit
vite, quick, quickly
la **vitesse**, speed ; **à toute vitesse**, at top speed ; **gagner de vitesse**, to go faster
***vive** (*subjunctive* of ***vivre**), long live
vivement, quickly
***vivre**, to live
vociférant, noisy, vociferous
***vociférer**, to vociferate (Conjugate like ***regler**)
voguer, to sail
voilà, there is, there are ; here is, are ; **nous y voilà**, here we are ; **le voilà**, there he is
la **voile**, sail
***voir**, to see ; **voyez un peu!** Just look at !
se ***voir**, to see each other, meet
le **voisin**, neighbour
la **voiture**, vehicle, carriage, car
la **voix**, voice
le **volant**, steering - wheel ; **prendre le volant**, to drive
voler, to steal
le **voleur**, thief, robber
la **volonté**, will
volontiers, gladly, with pleasure
le **volume**, volume
***voudrai**, *see* ***vouloir**
***vouloir**, to wish, be willing ; ***vouloir dire**, to mean
le **voyage**, journey ; **en voyage**, on a journey
***voyager**, to travel (Conjugate like ***manger**)
le **voyageur**, traveller
vrai, true, real
vraiment, truly, really, indeed
vu, in view of, considering
la **vue**, view ; sight

y, there ; **il y a**, there is, there are ; **il y a deux ans**, two years ago
le **yacht**, yacht
yeux, *see* **œil**

ANALYSIS OF LESSONS

	LESSON	PAGE	GRAMMAR
I	Le retour	11	Revision of Personal Pronouns (unstressed), Nom. and Acc.: of Negative Verb Forms : of Present Tense of Verbs in *-cer*, *-ger* ; of *avoir*, *être*, *aller*, *devoir*, *dire*, *faire*, *partir*, *suivre*, *tenir*, *s'asseoir*, *se lever* ; of numbers, clock, dates.
II	La rentrée	19	Passé Composé with *avoir*. Formation of Nouns in *-aine* and *-ée*. Revision of Demonstrative Adjective ; of Interrogative Verb Forms.
III	A la montagne	26	Use of *on*. Passé Composé with *être*. *Ne . . . jamais*. Revision of Feminine Forms ; of Relative Pronouns, Nom. and Acc.
IV	On nage	35	Revision of the Future Tense. Future of *avoir*, *être*, *aller*. Revision of *beau*, *bel*, etc.
V	Dans l'autobus	44	Personal Pronoun, Dative Case. Formation of Verbs in *re-*. Use of *oui* and *si*. *Ne . . . plus*, *ne . . . rien*, *ne . . . personne*.
VI	A l'école de natation	58	Order of Personal Pronouns. Formation of Masculine and Feminine Nouns in *-eur*.
VII	Le goûter	66	*En* and *y*. Future of *faire* and *voir*. Formation of Adverbs. *Avoir faim*, *soif*, *honte*.
VIII	L'aventure de Jacques	74	Interrogative Pronouns. Future of *tenir*, *devoir*, *savoir*, *vouloir*. Formation of Nouns in *-ation*.

INDEX TO GRAMMAR